Vive sin temor

Yeury Ferreira

Pacific Press®
Publishing Association

Nampa, Idaho | Oshawa, Ontario, Canada
www.pacificpress.com

O9-AID-306

Dirección editorial: Ricardo Bentancur
Redacción: Alfredo Campechano
Diseño de la portada: Gerald Lee Monks
Arte de la portada: iStockPhoto.com
Diseño del interior: Diane de Aguirre

A no ser que se indique de otra manera, todas las citas de las Sagradas Escrituras fueron tomadas de la versión Reina-Valera © 1960 Sociedades Bíblicas en América Latina; © renovado 1988 Sociedades Bíblicas Unidas. Utilizada con permiso. Las citas que son seguidas por DHH fueron tomadas de la versión Biblia Dios Habla Hoy, 3ª edición, © Sociedades Bíblicas Unidas, 1966, 1970, 1979, 1983, 1996. Utilizada con permiso. Las que son seguidas por JBS fueron tomadas de las Sagradas Escrituras, Biblia del Jubileo © 2000, Ransom Press International, Inc. Utilizada con permiso. Las que son seguidas por NBLA fueron tomadas de la Nueva Biblia Latinoamericana de Hoy® © Copyright 2005 por The Lockman Foundation, La Habra, California 90631. Sociedad no comercial. Derechos reservados. Utilizada con permiso. Las que son seguidas por NTV fueron tomadas de la Santa Biblia, Nueva Traducción Viviente, © Tyndale House Foundation, 2010. Utilizada con permiso de Tyndale House Publishers, Carol Stream, IL, E.E.U.U. Las que son seguidas por NVI fueron tomadas de la Santa Biblia, Nueva Versión Internacional®, NVI® copyright © 1999 por Biblica, Inc.®. Utilizada con permiso.

El autor se responsabiliza de la exactitud de los datos y textos citados en esta obra.

Puede obtener copias adicionales de este libro en www.libreriaadventista.com, o llamando al 1-888-765-6955

Derechos reservados © 2020 por
Pacific Press® Publishing Association.
P.O. Box 5353, Nampa, Idaho 83653
EE. UU. De N. A.

ISBN: 978-0-8163-9123-3

Printed in the United States of America

August 2020

Contenido

Dedicatoria

A mi querida esposa, Mariel Ferreira, quien con su vida
y ejemplo me ha enseñado a vivir sin temor.

Agradecimiento

A los editores de la Pacific Press.
A los dirigentes hispanos de la Iglesia Adventista
del Séptimo Día en Norteamérica.
A Ricardo Bentancur, Julio Chazarreta,
Roger Hernández y George Agüero.
Al pastor Dionisio Olivo, gran amigo y mentor.
Al pastor Henry Beras, por permitirme formar parte
de su equipo de trabajo en el Gran Nueva York.
A mis amigos.
A mis familiares.
A Dios.

Prólogo

El *Diccionario de la Lengua Española* define *temor* como "pasión del ánimo, que hace huir o rehusar aquello que se considera dañoso, arriesgado o peligroso".[1] Hoy en día se cuentan por millones los que viven presa del temor. Según una importante revista, solo en los Estados Unidos hay por lo menos cincuenta millones de personas que son víctimas de algún temor que los domina o controla.

El temor se ha extendido como si fuera una epidemia, y como resultado, millones han quedado atrapados en cárceles con paredes y barrotes mentales que ellos mismos han construido. El miedo, según lo expresó el famoso predicador Charles Stanley, "es un intruso que tiene la capacidad de impedirnos experimentar las bendiciones de Dios. Puede paralizarnos hasta el punto de hacernos perder la perspectiva divina de las circunstancias que nos rodean. Nubla nuestra visión del futuro y nos deja enfrentados a las dudas".[2]

Cuenta una antigua leyenda que mientras el cólera cabalgaba por el desierto se encontró con un solitario beduino, y este le preguntó:

—¿Adónde vas?

En una mezcla de apatía y cinismo, el cólera respondió:

—Voy a Bagdad a matar a diez mil personas.

Después de algunos meses, el cólera y el beduino volvieron a encontrarse. El beduino lo reprendió, diciéndole:

—¡Me mentiste! ¡En Bagdad murieron veinticinco mil personas!

Con sorprendente serenidad, el cólera respondió:

—No te mentí. Yo maté exactamente diez mil personas. Las demás murieron de miedo.

Esta leyenda ilustra de forma objetiva el efecto asesino del miedo. Por ejemplo, el doctor Enrique Chaij relata el dramático suceso del preso condenado a muerte al que se le dijo que le vendarían los ojos y le cortarían una arteria en el brazo mientras un grupo de médicos observara cuánto tiempo demoraba en morir desangrado. Entonces, le ligaron el brazo y le pasaron una navaja sin filo por la piel sin hacerle ningún corte. Después, con la ayuda de un tubo le hicieron correr agua por el brazo, que caía en un recipiente colocado debajo.

Mientras el agua goteaba, los médicos hablaban de la "debilidad del pulso", la "decoloración en la piel" y el estado general del preso a medida que "se desangraba". Se cuenta que dichos comentarios le infundieron tal sugestión y temor al hombre que finalmente su corazón se detuvo. Murió de miedo, pensando que de verdad se desangraba.

El miedo puede hacer que veamos la ficción como realidad. Puede robarnos la felicidad y llenarnos la vida de incertidumbre. Puede hacernos pensar que estamos infectados del coronavirus, aunque estemos sanos. Pero, el miedo no es invencible. ¿Quiere saber cómo se puede superar este fenómeno que ha arruinado la vida de tantos? Con solo dos letras: "fe". La Biblia declara que "no nos ha dado Dios espíritu de cobardía, sino de poder, de amor y de dominio propio" (2 Timoteo 1:7).

En este libro se abordan algunos de los temores más comunes que enfrentamos día a día. Pero no se trata de definir el temor sino de superarlo. Para cada temor veremos cuál es la solución que Dios ha provisto. La Biblia dice: "Y conoceréis la verdad, y la verdad os hará libres" (S. Juan 8:32). Solo la verdad nos puede hacer libres del temor. Solo la verdad nos da verdadera libertad. Quizá mientras lees estas líneas estás siendo víctima de algún temor que te impide desarrollar todo tu potencial. Tal vez el miedo te tiene atado en una cadena de circunstancias que sientes que no puedes vencer. Permíteme decirte que en este instante puedes ser libre de tus temores. Hoy, en el nombre de Jesús y por el poder de Dios, puedes vivir plenamente. Acompáñame en un interesante viaje en el que aprenderemos, creceremos, y venceremos los miedos más comunes. Te invito a que confíes en Dios y en las enseñanzas de su santa y bendita Palabra. Si así lo haces, te puedo asegurar que verás tus temores derrotados, pues aquellos que viven en la verdad siempre serán "más que vencedores" (Romanos 8:37).

---

1. *Diccionario de la lengua española*, Real Academia Española, "temor", en https://dle.rae.es/temor; consultado en junio 2020.

2. Charles Stanley, *Minas terrestres en el camino del creyente* (Nashville, Tennessee: Grupo Nelson, 2008), p. 117.

Capítulo 1

Sin temor...

Cuando Franklin D. Roosevelt asumió la presidencia de los Estados Unidos el 4 de marzo de 1933, encontró un país devastado por la crisis y al que urgía esperanza después de más de tres años de retrocesos. Aquel día, Roosevelt pronunció un discurso que sería recordado por la fuerza emotiva de una de sus frases inaugurales: "De lo único que debemos tener miedo es del propio miedo".[1]

Con estas palabras, el presidente Roosevelt dejó en claro que el mayor enemigo que enfrentaba la nación no era la inestabilidad económica, sino el miedo.

El miedo, según lo expresó el psicólogo cubano Mira y López, es uno de los gigantes más aterradores del alma.[2] El miedo es un ladrón que erosiona los pensamientos y puede secuestrar tus deseos y tu voluntad. El miedo puede hacer que olvides lo que sabes y pierdas de vista quién eres.

El miedo puede hacer que pierdas el control y creas que nunca lo recuperarás. El miedo puede hacerte desconfiar de las personas en las que tienes razones más que suficientes para confiar. El miedo puede hacer que seas exigente en vez de humilde y servicial. El miedo puede hacer que Dios parezca un ser pequeño e impotente frente a tus circunstancias y desafíos. El miedo puede hacer que busques en las personas lo que solo vas a encontrar en Jesucristo.

Sí, querido lector, el miedo puede despojarte de tu estima propia, puede impedir que lleves una vida plena y atraparte en una cárcel que tú mismo construyes. Motivadas por el temor, algunas personas han cambiado de trabajo; otros se han mudado a diferentes zonas del país o incluso a un país completamente diferente; otros más se han encerrado en sus casas o se han recluido en un asilo. Es asombroso cómo el temor tiene el poder de impedir que el vendedor ofrezca su mercancía, que el joven le pida matrimonio a aquella joven por la que tanto ha suspirado, que el desempleado hable con el gerente que tiene la solución a su más acuciante problema, que el ejecutivo tome la decisión correcta para encarrilar su empresa, y que el pecador busque el perdón y la salvación en Jesús.

Un fenómeno con dos caras

Quizás en estos momentos te estés preguntando con incredulidad: *¿Entonces, todos los temores son malos y destructivos?* No es así. Existen temores sanos y temores nocivos. Podemos definir el temor sano como un mecanismo protector que nuestro Creador ha colocado en cada uno de nosotros con el objetivo de activar nuestro sistema físico cuando enfrentamos un problema real. Los estudios científicos ponen de manifiesto que nuestro cerebro posee unas biomoléculas llamadas "neurotransmisores", las que se encargan de mantener nuestro cuerpo en equilibrio al transmitir información entre una neurona y otra. Según los científicos, cuando el cerebro detecta alguna situación de peligro para nuestro organismo, inmediatamente, en cuestión de milisegundos, se prepara adecuadamente para enfrentar dicho peligro. Cada uno de nosotros tiene un mecanismo de defensa cuya finalidad es protegernos de situaciones que puedan poner en peligro nuestra vida. Físicamente, el miedo es el instinto de supervivencia más fuerte de la naturaleza, pues nos alerta de posibles peligros. Gracias al miedo como mecanismo de supervivencia, podemos escapar de muchos accidentes y peligros.

Pero por otro lado tenemos los temores nocivos, denominados también temores anormales. Los profesionales de la medicina no están seguros qué hace que el miedo saludable se convierta en una ansiedad enfermiza, pero la mayoría está de acuerdo en que las experiencias estresantes (como traumas tempranos) crean desequilibrios en la química del cerebro que contribuyen a los trastornos de ansiedad, fobias sociales, ataques de pánico, preocupación, intimidación, perturbación, intranquilidad, angustia, retraimiento y depresión.

Los miedos nocivos no respetan edad, género ni estatus social. Golpean al débil y al poderoso, atormentan al joven y al anciano, al rico y al pobre, a la dama y al caballero. Hasta los que parecen tenerlo todo, como las celebridades, los héroes y los grandes dirigentes políticos, confiesan que en el fondo tienen una amplia variedad de temores.

¿Quién podría imaginar, por ejemplo, que César Augusto, el gran emperador romano, tenía miedo a la oscuridad? ¿Que Napoleón Bonaparte, aquel estratega y genio militar, les temía a los gatos? ¿Que Richard Nixon les temía a los hospitales, y que a George Washington le aterraba la idea de que lo enterraran vivo?[3] Pero más aun, ¿quién podría pensar que Johnny Depp, el actor que ha protagonizado algunas de las películas más taquilleras de los últimos años, confiese temerles a los payasos? ¿Que Michael Jordan, el astro del baloncesto, posea el raro temor de sumergirse en el agua, y que Oprah Winfrey, una de las mujeres más reconocidas del globo, sienta temor ante la toma de decisiones?

Puede parecernos un tanto cómico e irracional la variedad de cosas que nos provocan angustia, ansiedad y miedo. Sin embargo, aunque usted no lo crea, existen alrededor de 248 temores o fobias reconocidas. En 1942, el semiólogo francés Henry Jay catalogó varias de estas fobias. Entre ellas tenemos:

- Aracnofobia: miedo a las arañas
- Aerofobia: miedo a volar
- Acrofobia: temor a los lugares altos
- Anuptalofobia: temor a permanecer soltero
- Blenofobia: temor a las sustancias pegajosas
- Claustrofobia: miedo a los espacios o recintos limitados
- Cronofobia: temor al paso del tiempo
- Dentalofobia: temor a los dentistas
- Hidrofobia: temor al agua
- Glosofobia: temor a hablar en público
- Galofobia: temor al matrimonio
- Tanatofobia: miedo a la muerte

Y esta es una de las más sorprendentes:

- Nomofobia: temor a estar sin teléfono[3]

Como ya dijimos: el miedo no discrimina. Todos, de una forma u otra, hemos sentido el toque perturbador del miedo. No existe un ser humano sobre la tierra, por valiente que sea, que pueda decir: "No le temo a nada".

El más reciente de los miedos

Cuando estaba a punto de terminar este libro, sucedió algo que cambió mi vida y la del resto del mundo. Ya tenía los capítulos definidos, había realizado las investigaciones pertinentes y creía que dominaba el tema del miedo a la perfección, pero de la noche a la mañana todo cambió, y la vida me demostró que siempre se levantarán nuevos miedos que intentarán arrebatarnos la paz. A finales de 2019, escuché el reportaje de un nuevo tipo de gripe que había surgido en la ciudad china de Wuhan. No le presté mucha atención. Pocas semanas después, toda la ciudad de Wuhan estaba en cuarentena. *Eso está ocurriendo del otro lado del mundo*, pensé. Pero, a medida que los días y las semanas se iban pasando, el temido virus fue avanzando: China, Corea, Japón, Italia, España... y entonces le tocó a mi ciudad: Nueva York.

Aunque las autoridades tomaron cartas en el asunto, vi cómo "la Gran Manzana" se convirtió en una ciudad desolada. Los hospitales colapsaron, las morgues no daban abasto, las iglesias cerraron, la Bolsa de Valores se tambaleó y, al momento de escribir estas líneas, solo en la Ciudad de Nueva York se han reportado cientos de miles de casos de la COVID-19 y decenas de miles de muertes. Además, solo en los Estados Unidos ya se han reportado millones de casos y cientos de miles de muertes. A nivel mundial, las cifras superan los 22 millones de contagios y más de 800,000 muertes. Lamentablemente, la ola de miedo ha alcanzado proporciones astronómicas. Muchos temen por su salud a pesar de las medidas de seguridad, en parte porque el virus se disfraza para no ser reconocido por los sistemas de defensa del cuerpo. Otros sienten miedo a causa de la certeza de la crisis económica y las pérdidas masivas de empleo que desde el inicio de la pandemia se han cernido sobre todos, y algunos han sufrido ataques de pánico y ansiedad luego de haber pasado varias semanas sin poder salir de sus hogares.

Estoy seguro de que para cuando este libro llegue a tus manos, las cifras del párrafo anterior habrán quedado obsoletas y quizá muchas personas hayan superado los temores que he mencionado. No obstante, el coronavirus nos ha enseñado que aun el más fuerte puede experimentar temor. ¿Y cómo podemos hacerle frente al miedo? La respuesta se vuelve compleja cuando nos damos cuenta de que las diferentes causas del miedo y nuestros rasgos individuales hacen que no haya una solución universal para todos. En el caso del COVID-19, me gustaría señalar tres elementos que la doctora Nicelia Peña Imbert presenta en un artículo publicado en la revista *Prioridades*. Para mantener la calma y vencer el miedo en medio de una pandemia, ella recomienda: (a) dirigir nuestros pensamientos deliberadamente hacia lo bueno, (b) decidir enfocarnos en lo positivo de nuestras experiencias de vida, y (c) elegir intencionalmente ser optimistas.[4] "Bien —imagino que dices—, ¿y qué de todos los otros miedos?". Para lidiar con tus temores en sentido general, te invito a acudir conmigo a la Palabra de Dios, la Biblia. Allí encontraremos las respuestas que buscamos.

La Biblia y el miedo

Aunque la Biblia no es un manual de psicología ni un libro de neurología, sí aborda de manera amplia el tema del miedo. Por algo es el Libro por excelencia. De acuerdo con los estudiosos, la expresión "no temas" aparece unas 365 veces en las Escrituras, de manera que es la encomienda que más se repite en toda la Biblia. Por otro lado, la palabra "miedo" aparece más de doscientas veces, mientras que "temor" y "terror" son mencionadas más de cien veces cada una. Puede que te sorprenda que un libro que cuenta las hazañas de los célebres personajes del pasado se refiera tanto al miedo, pero la Biblia registra que ¡más de doscientos de sus personajes sintieron miedo![5]

Pero la Biblia no solo nos insta a no temer y nos habla del miedo que experimentaron los grandes héroes del pasado, sino que también nos habla del origen del temor. Según las Escrituras, el miedo apareció como consecuencia del pecado; de manera más concreta, como consecuencia del pecado de nuestros primeros padres: Adán y Eva.

Las primeras palabras de la Biblia nos dicen que Dios estaba en el principio de todas las cosas. "En el principio creó Dios los cielos y la tierra" (Génesis 1:1). La tierra estaba "desordenada y vacía, y las tinieblas estaban sobre la faz del abismo" (Génesis 1:2). Fue entonces cuando Dios dijo: "Sea la luz" (Génesis 1:3), y la luz surgió en obediencia a su mandato. Dios habló, y al sonido de su voz todo vino a la existencia. Él creó el sol para gobernar el día, la luna para gobernar la noche, y cubrió el firmamento de estrellas. Así, la creación misma demuestra la grandeza de Dios. Por eso el salmista David declaró: "Por la palabra del Señor fueron hechos los cielos, por el soplo de su boca... Pues él habló, y todo fue hecho; él ordenó, y todo quedó firme" (Salmo 33:6, 9, DHH).

Al mandato divino, la tierra produjo el vivo verde que caracteriza la flora, tanto la hierba como los árboles, y las hermosas y llamativas flores. Al retumbar de su voz, los peces, las ballenas y todos los animales marinos llenaron los ríos y océanos; las aves surcaron los cielos y anidaron en los árboles, los animales terrestres recorrieron los campos, y la fragancia de incontables vergeles llenó el ambiente. En tan solo seis días, de acuerdo con Éxodo 20:11, Dios creó todo: el firmamento, el mar, el sol, la luna, las estrellas, los arboles, las bestias del campo, los peces del mar y las aves del cielo... y justo en el sexto día de la creación Dios dijo: "Hagamos al hombre a nuestra imagen, conforme a nuestra semejanza; y señoree en los peces del mar, en las aves de los cielos, en las bestias, en toda la tierra, y en todo animal que se arrastra sobre la tierra. Y creó Dios al hombre a su imagen, a imagen de Dios lo creó; varón y hembra los creó" (Génesis 1:26, 27). Así, creado a la imagen y semejanza de Dios, perfecto en forma y apariencia y santo en carácter, el ser humano llegó a ser cúspide y corona de la creación.

El siguiente paso de Dios fue establecer un hogar especial para los seres humanos que había creado: "Después Dios el Señor plantó un jardín en la región de Edén, en el oriente, y puso allí al hombre que había formado" (Génesis 2:8, DHH). Dios dio como hogar a nuestros primeros padres un hermoso huerto. Allí vivirían libremente, en armonía con sus Creador y entre ellos mismos, sin vestigio alguno de ansiedad, frustración, angustia, tristeza, desesperación, sufrimiento o miedo.

Sin temor...

En el huerto del Edén Dios les dio a nuestros primeros padres una muestra de lo que se proponía que fuera toda la tierra. Habría sido posible para ellos llevar a cabo el propósito divino, puesto que todo lo que se necesitaba para que el perfecto plan de Dios funcionara estaba a su alcance. Nada les faltaba.

Ahora bien, solo una lealtad absoluta a su Creador haría posible que Adán y Eva mantuvieran su feliz estado de perfección. El relato de Génesis revela cuál fue la prueba de obediencia que Dios puso a la primera pareja: "Y mandó Jehová Dios al hombre, diciendo: De todo árbol del huerto podrás comer; mas del árbol de la ciencia del bien y del mal no comerás; porque el día que de él comieres, ciertamente morirás" (Génesis 2:16, 17).

Dios les permitió comer libremente de todo árbol, y solo se reservó uno para sí: el árbol del conocimiento del bien y del mal. Puede que te preguntes: ¿Por qué Dios colocó ese árbol allí? Algunos cuestionan esta acción divina. Argumentan que nunca se debió situar a Adán y Eva en un terreno de prueba, pero hemos de entender un concepto muy significativo: Dios no creó meras máquinas autómatas para programarlas y controlarlas a distancia, sino que formó seres libres y les ofreció del don más apreciado: el libre albedrío. Por consiguiente, el árbol del conocimiento del bien y del mal no tenía como propósito amargar la vida de la primera pareja, sino que servía como recordatorio constante de que Dios es el gran Creador y que solo mediante la obediencia a él podían nuestros primeros padres mantener el estado de dicha y felicidad de que disfrutaban.

Es triste admitirlo, pero nuestros primeros padres no fueron leales, sino que desobedecieron la orden que Dios les había dado, y, como resultado, dañaron la relación que hasta entonces habían disfrutado con Dios. La confianza que una vez tuvieron se desvaneció. Una de las declaraciones más tristes de las Escrituras es esta: "Jehová Dios llamó al hombre, y le dijo: ¿Dónde estás tú? Y él respondió: Oí tu voz en el huerto, y tuve miedo, porque estaba desnudo; y me escondí" (Génesis 3:9, 10).

Como resultado de la desobediencia, los seres humanos perdimos la santidad de nuestro carácter y el derecho a vivir en el Jardín del Edén;

sobre todo, perdimos nuestro mayor privilegio: la comunión cara a cara con Dios. Desde entonces, el imperio del miedo, la tristeza, la enfermedad, la muerte y la maldad comenzó a oprimir a la familia humana.

Notamos entonces que el miedo vino como secuela de la desobediencia. Cuando el ser humano estaba en armonía con su Creador, no cabía ningún temor en su corazón. Pero cuando dicha relación se rompió, el miedo se apoderó de ellos. Conforme a la Biblia, el miedo es más que una respuesta fisiológica ante situaciones de peligro. Es más que una reacción química en nuestro cerebro. El miedo es una de las nefastas e inevitables consecuencias del pecado. El pecado es esa vil enfermedad del alma que nos hace infelices y tristes, a la vez que deforma, debilita y arruina nuestro ser y nuestras relaciones.

Del temor a la fe

Ahora bien, puede que a estas alturas te estés preguntando: ¿Existe alguna solución a algo tan terrible como el miedo? ¿Podemos sobreponernos a nuestros temores? ¿Es posible vivir sin miedo? Muchos, procurando ser libres, han recurrido a los psicólogos y sus múltiples terapias y sesiones con el objetivo de pensar y comportarse de manera distinta, de forma racional. Otros, por el contrario, han buscado ayuda en los fármacos. Entienden que el miedo debe ser tratado como una especie de enfermedad. Sin embargo, pasado el tiempo llegan a la conclusión de que, aunque las sesiones terapéuticas y los medicamentos pueden ayudar, no son suficientes.

Entonces, si no somos capaces de domar ni de ignorar nuestros temores, ¿podemos manejarlos o controlarlos de alguna otra manera? Permíteme responder a esta pregunta con un rotundo "sí". De acuerdo con las Escrituras, podemos enfrentar y vencer el temor por medio de la fe. Sí, querido lector, la fe es el antídoto divino para erradicar todos y cada uno de nuestros temores. Pero, ¿qué es la fe?

La Biblia define a la fe de la siguiente manera: "La fe es la confianza de que en verdad sucederá lo que esperamos; es lo que nos da la certeza de las cosas que no podemos ver" (Hebreos 11:1, NTV). Partiendo de este texto, entendemos que la fe es confianza en Dios. Notemos que más adelante la misma Biblia nos dice que, "de hecho, sin fe es imposible agradar a Dios. Todo el que desee acercarse a Dios debe creer que él existe y que él recompensa a los que lo buscan con sinceridad" (vers. 6, NTV).

Ahora bien, permíteme aclarar que no cualquier tipo de fe vence al miedo. La fe que se sobrepone al temor es aquella que, *en primer lugar*, acepta quién es Dios. Creer en la existencia de Dios es el primer paso para vivir una vida victoriosa. Aquellos que creen en Dios tienen una brújula que los guía en medio de las tormentosas aguas de este mundo. Pero para aquellos que no creen en Dios, "este mundo se torna un lugar extraño, loco y penoso, y la vida en él se hace desalentadora y desagradable. El que no cree en Dios se sentencia a sí mismo a transitar por la vida dando tumbos y errando el camino como si tuviera los ojos vendados, por así decirlo, sin el necesario sentido de la dirección y sin comprender lo que ocurre a su alrededor".[6]

En segundo lugar, la fe que vence el miedo no solo acepta la existencia de Dios, sino que nos prepara para desarrollar una relación especial con él. No basta con saber que Dios existe, es necesario llegar a conocerlo. El mismo Dios nos dice: "Que no se enorgullezca el sabio de ser sabio, ni el poderoso de su poder, ni el rico de su riqueza. Si alguien se quiere enorgullecer, que se enorgullezca de conocerme, de saber que yo soy el Señor, que actúo en la tierra con amor, justicia y rectitud, pues eso es lo que a mí me agrada. Yo, el Señor, lo afirmo" (Jeremías 9:23, 24, DHH).

Antes de continuar, me gustaría subrayar que cuando hablo del conocimiento de Dios, no me refiero a llegar a entenderlo o comprenderlo en su plenitud. Como criaturas, no podemos comprender por completo a Dios, por tres razones: La primera tiene que ver con los límites de nuestra mente humana. Una mente finita no puede comprender totalmente a un ser infinito. La segunda es el problema moral, pues la presencia del pecado ha limitado nuestra capacidad de percibir las realidades espirituales. Y tercero, tenemos un problema de recursos. Dios simplemente no nos ha dicho todo acerca de él. Él se ha revelado en la Biblia, y podemos comprender y estudiar lo que él nos ha dicho sobre sí mismo, pero no nos lo ha revelado todo. Por lo tanto, cuando hablamos de conocer a Dios, nos referimos a entrar en una relación con él, de tal manera que lo que él es afecte lo que nosotros somos.

En tercer lugar, la fe que vence el miedo es aquella que nos lleva a confiar total y explícitamente en Dios. Alguien escribió que la fe "consiste en confiar en que Dios hace por nosotros lo que no podemos hacer por nosotros mismos".[7] La esencia de la verdadera fe implica tomarle la palabra a Dios y confiar en que él hará lo que ha prometido. Cuando confiamos en Dios, todo lo demás toma un nuevo matiz. Podemos ver la vida desde una perspectiva distinta. La confianza en Dios lo cambia todo. Cuando confiamos en que nuestras experiencias negativas del pasado han quedado en sus manos, podemos vivir libres de los efectos negativos de la culpa. Cuando confiamos en que los maltratos que hemos sufrido han quedado en sus manos, ya no nos gobierna el miedo ni la angustia, la impotencia, la venganza o cualquier otra emoción negativa. Cuando confiamos en que cada aspecto de nuestra existencia está en sus manos, no tendremos temor, pues entendemos que nada pasa sin el consentimiento del Creador.

"Cuando tengo miedo, confío en ti"

Mientras escribo acerca de la fe que vence el temor, recuerdo una experiencia que vivió Mariel, mi querida esposa. En 2003, mi esposa me dio la grata noticia de que estaba embarazada. Como era de esperarse, eso llenó nuestras vidas de alegría. Esperamos el paso de las semanas con gran emoción. Recuerdo que decidimos llevar una cuenta exacta de los días y las semanas del embarazo.

Como es normal en todas las embarazadas, su cuerpo cambió. Pero más adelante nos percatamos de algo extraño: sus piernas estaban más hinchadas de lo normal para una embarazada. Por tratarse de nuestra primera experiencia, no le dimos importancia al asunto. Apenas teníamos 21 y 24 años. Estábamos trabajando como pareja pastoral en un hermoso pueblo de mi país, República Dominicana, llamado La Isabela de Puerto Plata.

Transcurridos seis meses del embarazo, la hinchazón se había extendido por todo el cuerpo. Una tarde de viernes, Mariel me dijo que se sentía muy mal. De inmediato salimos para la ciudad de Santiago de los Caballeros, donde se encontraba su médico. Cuando llegamos a la sala de emergencias ya el doctor la estaba esperando, y al verla se preocupó bastante. Le hizo los estudios correspondientes y diagnosticó preeclampsia.

La preeclampsia es una complicación que puede ocurrir durante el embarazo y, si no se trata a tiempo, puede poner en grave peligro la vida de la madre o la de la criatura. La noticia nos cayó como un balde de agua fría. Todas nuestras ilusiones parecían desvanecerse. Sin embargo, con la ayuda del Señor y la implementación de las indicaciones dadas por el médico, Mariel pudo superar el peligro y dio a luz a nuestro primer hijo: Ernesto.

El tiempo pasó, y en 2008 mi esposa volvió a darme la alegre noticia de que estaba embarazada de nuevo. Esta vez hicimos todos los preparativos a fin de no repetir los mismos errores que cometimos la primera vez. Mariel se preparó físicamente por medio de una alimentación baja en sodio y mucho ejercicio físico. Visitaba a su médico con frecuencia y llevaba un registro minucioso para percatarse de que todo marchaba bien.

Un día, el doctor nos dio la noticia de que esperábamos una niña. La alegría floreció en nuestros corazones. Ahora seríamos padres de un niño y una niña. Entre las cosas que hicimos fue buscar el nombre para nuestra hija. Después de escribir y escribir nombres y nombres, decidimos ponerle Elizabeth.

El día del parto llegó y mi esposa se preparó. Debo aclarar que en el primer parto, debido a la situación médica a la que ya me he referido, Mariel fue sometida a una operación cesárea. Para el segundo parto, a fin de no correr riesgos se optó por la misma opción. Así que cuando el día del parto llegó, todo estaba listo. Sin embargo, cuenta Mariel que cuando la estaban preparando para la cesárea un gran temor embargó su corazón. ¡Nunca había sentido tanto miedo! Me contó que fue tanto su miedo que no podía controlar sus piernas. Su mente se empezó a llenar de pensamientos negativos y recordó las complicaciones de su primer embarazo. Fue en aquel momento cuando ella oró a Dios. Le pidió que le quitara el miedo, y fue allí cuando un texto de la Biblia llegó a su mente: "Cuando tengo miedo, confío en ti" (Salmo 56:3; DHH).

Esta declaración de fe fue suficiente para traer paz a su corazón. Se aferró a las palabras de la Escritura y su miedo se desvaneció de manera milagrosa. La fe en el poder divino fue suficiente para desvanecer sus miedos.

Querido lector, puede que en estos momentos te encuentres presa de algún miedo o temor. Quizá te sientes esclavizado por la ansiedad, la preocupación y la depresión. Pero, permíteme decirte que la fe en Dios es más fuerte que el miedo. Hoy te invito a enfrentar tus temores por medio de la fe. Te garantizo que si así lo haces, podrás decir lo mismo que dijo el rey David: "Busqué a Jehová, y él me oyó, y me libró de todos mis temores" (Salmo 34:4).

---

1. Ver https://www.muyhistoria.es/contemporanea/articulo/diez-frases-de-franklin-d-roosevelt.

2. Emilio Mira y López, *Los cuatro gigantes del alma* (Buenos Aires: Ediciones Lidiun, 1994). Citado por C. C. Andrade, *Diccionario Teológico: con un suplemento biográfico de los grandes teólogos y pensadores* (Miami, Florida: Patmos, 2002), p. 224.

3. June Hunt, *100 claves bíblicas para consejería*, t. 92 (Dallas, Texas: Esperanza para el Corazón, 2011), p. 1.

4. Nicelia Peña Imbert, "Conservar la calma en medio del caos: el factor clave", en *Prioridades,* julio 2020 (Doral, Florida: Asociación Publicadora Interamericana), p. 14.

5. *Ibíd.*

6. J. T. Packer, *El conocimiento del Dios santo* (Miami, Florida: Editorial Vida, 2006), p. 21.

7. Carol Cannon, *El Centinela*, marzo, 2019, p. 28.

Preguntas para reflexionar

1. ¿Cuál es la solución al miedo?

2. ¿Cuáles son las diferencias entre el temor sano y el temor nocivo?

3. ¿Qué dice la Biblia con relación al temor?

4. ¿Qué es la fe?

5. ¿Cuáles son las tres características de la fe que vence el miedo?

Capítulo 2

Sin temor al rechazo

M e gustaría iniciar este capítulo con una cita o, mejor dicho, con una joya literaria escrita por Irene Orce, que define de manera magistral ese temor que en algún momento de la vida todos hemos experimentado:

El rechazo es un maestro en el arte de dibujar fronteras. Una palabra que margina a todas las demás. Experimentarlo resulta humillante. No en vano es tan doloroso como un puñetazo en la cara, y tan infranqueable como un muro de hormigón. Para muchos, supone una condena. Nos aísla y nos aliena, encerrándonos en la cárcel del desconcierto y la inseguridad. Todos hemos visitado sus enmohecidas celdas en un momento u otro. Y la experiencia resulta tan fría y desagradable, que a menudo se instala en nuestro interior un profundo temor a repetirla. Así es como nace el miedo al rechazo, un monstruo digno de pesadilla del que huyen por igual niños y adultos".[1]

El rechazo duele tanto como "un puñetazo en la cara". Esto no es solo una hipérbole poética. Un estudio realizado por la Universidad de Míchigan reveló que tu cuerpo libera las mismas sustancias cuando sufres un rechazo social que cuando te golpean. De acuerdo con este estudio, esto se produce porque el circuito analgésico del cuerpo se activa durante el rechazo de la misma manera en que lo hace al reaccionar ante una agresión física. En otras palabras, el rechazo es tan doloroso como un golpe físico.

En búsqueda de valor y aceptación

Ahora bien, nos preguntamos: *¿Por qué el rechazo causa tanto dolor?* Por naturaleza, los seres humanos buscamos formar parte de un círculo social. Precisamente por eso necesitamos relacionarnos para sentirnos bien, ya sea con familiares, amigos o en el entorno de trabajo. También buscamos ser aceptados y valorados. Esto se debe a que fuimos creados con tres necesidades básicas: amor, propósito y significado. Desde nuestros primeros años buscamos a alguien que nos ame incondicionalmente y que pueda dar sentido y significado a lo que somos y hacemos.

En cierta ocasión me encontraba junto a mi familia disfrutando de un campamento de verano. Uno de esos días, mi hija, que apenas tenía tres años, se encontraba bañándose felizmente en la piscina junto con su madre. Por mi parte, yo charlaba con unos amigos. Mientras conversaba, mi hija me interrumpía frecuentemente diciendo: "¡Papi, mira! ¡Papi, mira!" Cada vez que volteaba para mirar, mi hija se zambullía o corría a lanzarse desde un pequeño tobogán. ¿Qué estaba buscando? ¡Atención! Necesitaba mi aprobación.

Así somos los seres humanos: buscamos que los demás nos concedan su aprobación. Los hijos buscan la aprobación de sus padres. De la misma manera, los padres buscan el reconocimiento y el cariño de sus hijos. Las esposas necesitan ser valoradas por sus esposos, así como los esposos necesitan ser respetados y admirados por sus esposas. Los dirigentes necesitan el apoyo de sus seguidores, y los seguidores procuran la inspiración y motivación de sus líderes. Eso es normal, y no tiene nada de malo. Pero, ¿qué sucede cuándo esta búsqueda se torna peligrosa, cuándo deja de ser normal?

La búsqueda de aprobación llega a ser un problema cuando la necesitamos de manera excesiva y enfermiza. Deja de ser normal y natural cuando definimos nuestro valor como individuos según el grado de aprobación que recibimos. La necesidad excesiva de aprobación se ha definido como la tendencia de las personas a juzgar su estima propia o su valor en función de lo que los demás piensen o digan de ellas. Es triste que en estos tiempos esta actitud se haya convertido en una de las mayores fuentes de malestar. La búsqueda excesiva de aprobación siempre ha estado presente en el ser humano, pero en los últimos años se ha intensificado, no solo a causa del consumismo y a la búsqueda obsesiva de belleza y juventud, sino, sobre todo, al incremento del fenómeno de las redes sociales tales como *Facebook*, *Twitter* e *Instagram*, entre otras. Las redes sociales han sido diseñadas de tal manera que nuestra necesidad de aprobación esté activa las 24 horas del día. ¿Quién no ha abierto una y otra vez su teléfono celular incluso de manera obsesiva en busca de algún *like* o "comentario" después de haber publicado algún contenido? Por otro lado, ¿quién no ha escuchado alguna historia de personas que hacen lo que sea para llamar la atención en las redes?

Hace unos años, millones de personas quedaron impactadas con la historia de la joven australiana Essena O'Neill, que inició una campaña para concientizar a jóvenes y adultos acerca de la farsa que se puede vivir en la pantalla de una red social. Esta modelo, de apenas 19 años, que tenía mas de 700,000 seguidores en *Instagram*, y a quien le pagaban un promedio de 1,800 dólares por cada foto que publicaba, decidió abandonar el mundo de las redes sociales. En su última publicación escribió: "He pasado la mayor parte de mi vida siendo una adicta a las redes sociales, la aprobación social y mi apariencia física. Estaba consumida por ello... En una ocasión me tomé como cien fotos en poses similares para lograr que mi abdomen se viera bien. Aquel día casi no comí. Le gritaba a mi hermana menor para que siguiera tomando fotos hasta que hubiera una de la que estuviera orgullosa... Pido perdón, pues lo que hacía no lo hacía conscientemente, estaba obsesionada con gustar a los demás".

¡Qué triste!, ¿verdad? Y pensar que, al igual que Essena O'Neill, existen millones de personas que buscan constantemente la aceptación y la validación social. En sus cabezas no dejan de preguntarse qué estará pensando la gente de ellos. Sufren intensamente el miedo a no ser aceptados. Temen perder la aprobación, la aceptación y el afecto de otras personas. Viven en un tipo de montaña rusa, indefensos e incapaces de controlar cuándo están arriba o cuándo abajo. Su autoestima o valor personal ha quedado a merced de lo que los demás piensen o digan.

Puede que te preguntes: *¿Cómo puedo saber si estoy buscando excesivamente la aprobación de los demás?* Si no estás seguro de tu respuesta, contesta con toda sinceridad las siguientes preguntas para descubrir si vives con temor al rechazo:[2]

- ¿Evitas a ciertas personas por temor a que te rechacen?
- ¿Te pones ansioso cuando piensas que alguien podría rechazarte?
- ¿Te sientes fuera de lugar cuando estás con personas que son diferentes a ti?
- ¿Te sientes preocupado cuando alguien no es amistoso contigo?
- ¿Te esfuerzas por determinar lo que la gente piensa de ti?
- ¿Te deprimes cuando te critican?
- ¿Procuras impresionar a los demás?
- ¿Te repites constantemente mensajes negativos acerca de ti mismo?
- ¿Dices "sí" cuando deberías decir "no" a los demás?
- ¿Eres presa fácil de la manipulación?

Si después de contestar estas preguntas llegas a la conclusión de que te encuentras bajo el control enfermizo del temor al rechazo y que has vivido buscando la aprobación de los demás de manera excesiva, es tiempo que, por tu bien emocional, te detengas y comprendas en qué consiste tu verdadero valor.

Valorados y aceptados

¿Te has preguntado alguna vez cuánto vales? Según los psicólogos, responder a esta pregunta de manera franca evita las inseguridades y temores que son la causa de la baja estima propia. En su deseo de responder esta pregunta, las personas han recurrido a diversos criterios, ¡algunos de ellos hasta jocosos! Por ejemplo, en un artículo titulado: "¿Cuánto valgo? Una visita al salón de remates", David Marshall sugiere que el valor de un ser humano a partir de sus componentes químicos no excedería unos cuantos dólares. Usando su propio cuerpo (de unos 68 kilos) como ejemplo, concluyó que contiene "suficiente agua para llenar un recipiente de 38 litros (unos diez galones), grasa para hacer siete barras de jabón, carbón para 7,000 minas de lápiz, fósforo para 2,200 cabezas de cerillos, suficiente magnesio para una dosis de leche de magnesia, hierro para un clavo de tamaño mediano, cal para pintar un gallinero, y suficiente azufre como para matar las pulgas de un perro".[3]

¿Es este en verdad nuestro valor? Mientras que algunos juzgan el valor del ser humano a partir de sus componentes químicos, otros lo hacen en términos de utilidad. De acuerdo con este criterio, las personas valdrían más o menos dependiendo de si poseen o no componentes altamente publicitados y codiciados hoy en nuestra sociedad de consumo, tales como la belleza, la inteligencia, las habilidades o la posición social. De acuerdo con este punto de vista, un médico con una decena de títulos, posgrados y especialidades vale más que un conserje. Un artista reconocido que se dedica a escribir y a interpretar hermosas canciones vale más que un obrero desconocido.

Sin embargo, ninguno de estos criterios es confiable a la hora de asignar el valor de un ser humano, ya que nuestro valor no estriba en nuestras habilidades ni en lo que los demás piensan de nosotros; ni siquiera en lo que nosotros mismos pensamos, sino en lo que Dios piensa de nosotros. Por lo tanto, la pregunta correcta no es: "¿Cuánto valgo?", sino: "¿Cuánto valgo para Dios?". ¿Qué piensa Dios acerca de ti y de mí? Sigue leyendo y te prometo que lo que descubrirás cambiará tu vida para siempre.

Jesús, de manera pintoresca, dio respuesta a la interrogante que tenemos por delante con el ejemplo del *quinto gorrión*. "¿No se venden dos gorriones por una monedita? Sin embargo, ni uno de ellos caerá a tierra sin que lo permita el Padre; y él les tiene contados a ustedes aun los cabellos de la cabeza. Así que no tengan miedo; ustedes valen más que muchos gorriones" (S. Mateo 10:29-31, NVI).

En los días de Jesús, el gorrión era una de las aves comestibles más baratas. A estos pajarillos se los solía desplumar y asar en un palo sobre un fuego abierto. Seguramente Jesús había visto a las mujeres pobres contando sus monedas en el mercado para ver cuántos gorriones podrían adquirir. El valor estimado de estas aves era tan bajo que con una moneda de cobre (literalmente un *assarion,* que hoy equivaldría a menos de cinco centavos de dólar) se compraban dos gorriones.

Ahora bien, lo interesante es que Jesús repitió en otra ocasión la misma comparación, pero con una leve diferencia:

"¿No se venden cinco gorriones por dos moneditas? Sin embargo, Dios no se olvida de ninguno de ellos. Así mismo sucede con ustedes: aun los cabellos de su cabeza están contados. No tengan miedo; ustedes valen más que muchos gorriones" (S. Lucas 12:6, 7, NVI).

¿Notaste la diferencia? Hagamos un rápido ejercicio matemático. Con *una* monedita el comprador adquiría *dos* gorriones. Pero si pagaba *dos* monedas, ¿cuántos gorriones recibía? La lógica dice que debería recibir cuatro. Sin embargo, no obtenía cuatro, sino *cinco* aves. El vendedor incluía el quinto gorrión gratuitamente. Era como si el gorrión adicional no tuviera valor. "Sin embargo —añadió Jesús—, ni uno de ellos —incluido el quinto, el de la propina— está olvidado delante de Dios". Al aplicar la ilustración, Jesús concluyo diciendo: "No tengan miedo, ustedes valen más que muchos gorriones".

¿Notamos el mensaje de esta reconfortante comparación? Si Dios considera valiosa incluso a la avecilla más insignificante según los cálculos del vendedor, ¡cuánto más a sus hijos! Para él no somos rostros anónimos. Cada uno tiene un valor especial a su vista, pues Dios repara hasta en los menores detalles, al punto de tener contado cada uno de nuestros cabellos.

Puede que, como el quinto gorrión, te sientas desvalorizado. A lo mejor sientes que a nadie le importas, que tu vida está de más en la tierra. Si te sientes así, quiero invitarte a que mires lo que una y otra vez dice Dios en las Escrituras: "A mis ojos fuiste de gran estima, fuiste honorable, y yo te amé; daré, pues, hombres por ti, y naciones por tu vida" (Isaías 43:4). De igual manera, en 1 Pedro 1:18, 19 se nos dice: "Sabiendo que fuisteis rescatados de vuestra vana manera de vivir, la cual recibisteis de vuestros padres, no con cosas corruptibles, como oro o plata, sino con la sangre preciosa de Cristo, como de un cordero sin mancha y sin contaminación". Por último, Cristo nos dice: "Porque de tal manera amó Dios al mundo, que ha dado a su Hijo unigénito, para que todo aquel que en él cree, no se pierda, mas tenga vida eterna" (S. Juan 3:16).

Somos tan preciados para Dios que él estuvo dispuesto a darlo todo para salvarnos. ¿Sabes? Esto debe darte una idea de lo valioso que eres para Dios. Elena G. de White escribió: "El precio pagado por nuestra redención, el sacrificio infinito que hizo nuestro Padre celestial al entregar a su Hijo para que muriese por nosotros, debe darnos un concepto elevado de lo que podemos llegar a ser por intermedio de Cristo... ¡Mirad cuál amor nos ha dado el Padre, que seamos llamados hijos de Dios! (1 Juan 3:1)".[4]

Por otro lado, Jesús no solo habló de cuánto Dios valora al ser humano, sino que también hizo mención de su disposición a aceptarlo. En la conocida parábola del hijo pródigo, registrada en San Lucas 15:11-32, se nos presenta a Dios como un Padre amoroso que con los brazos abiertos acepta a sus hijos descarriados. La historia dice: "Un hombre tenía dos hijos; y el menor de ellos dijo a su padre: Padre, dame la parte de los bienes que me corresponde; y les repartió los bienes. No muchos días después, juntándolo todo el hijo menor, se fue lejos a una provincia apartada; y allí desperdició sus bienes viviendo perdidamente. Y cuando todo lo hubo malgastado, vino una gran hambre en aquella provincia, y comenzó a faltarle. Y fue y se arrimó a uno de los ciudadanos de aquella tierra, el cual lo envió a su hacienda para que apacentase cerdos. Y deseaba llenar su vientre de las algarrobas que comían los cerdos, pero nadie le daba" (vers. 11-16).

Allí vemos al hijo rebelde humillado hasta el extremo. Pero en medio de su desesperación volvió en sí, y se dijo: "¡Cuántos jornaleros en casa de mi padre tienen abundancia de pan, y yo aquí perezco de hambre! Me levantaré e iré a mi padre, y le diré: Padre, he pecado contra el cielo y contra ti. Ya no soy digno de ser llamado tu hijo; hazme como a uno de tus jornaleros" (vers. 17-19). Mientras caminaba de vuelta a la casa paterna, imagino que una pregunta venía a su mente una y otra vez: *¿Me recibirá mi padre?* Pero la historia dice que "cuando aún estaba lejos, lo vio su padre, y fue movido a misericordia, y corrió, y se echó sobre su cuello, y le besó" (vers. 20). Es en ese momento cuando el hijo arrepentido comienza su discurso de arrepentimiento: "Padre, he pecado contra el cielo y contra ti, y ya no soy digno de ser llamado tu hijo" (vers. 21). Pero el padre lo interrumpe y dice a sus siervos: "Sacad el mejor vestido, y vestidle; y poned un anillo en su mano, y calzado en sus pies. Y traed el becerro gordo y matadlo, y comamos y hagamos fiesta; porque este mi hijo muerto era, y ha revivido; se había perdido, y es hallado. Y comenzaron a regocijarse" (vers. 22-24).

¡Maravillosa historia! El padre recibe al hijo, y a pesar de todo lo que había pasado, no lo rechaza. Lo acepta y le devuelve su dignidad.

Cuando Jesús contó esta historia, su público estaba dividido en dos grupos. En el primer grupo se encontraban los "publicanos y pecadores" (S. Lucas 15:1), personas que, según las creencias religiosas de aquel entonces, estaban fuera de la gracia de Dios. En el segundo grupo se encontraban los fariseos (vers. 2), religiosos de cuello largo, conocedores de la ley, las tradiciones y costumbres del judaísmo, que enseñaban que Dios no estaba dispuesto a recibir a los pecadores a menos que estos colocaran primero sus vidas en armonía con los principios y normas de la religión. Los fariseos predicaban que Dios estaba más interesado en rechazar al pecador que en aceptarlo. Pero Jesús, por medio de la historia del hijo pródigo, enseñó algo muy distinto: Dios no solo no rechaza al pecador, sino que lo acepta con brazos abiertos.

¡Ese es el mensaje del evangelio! Un Dios que nos acepta como somos, que nos recibe para darnos una segunda oportunidad de vivir en su presencia. Si sientes temor al rechazo, o si piensas que no vales nada, te invito a que leas lo que Jesús te dice: "Todos los que el Padre me da vendrán a mí; y al que a mí viene, no lo rechazo" (S. Juan 6:37, NVI).

Amigo, hoy puedes levantar la cabeza y decir con toda seguridad: "Yo sé que mi valor no se basa en lo que los demás piensan de mí sino en el hecho de que el Señor me acepta. Dios no solo me amó tanto que envió a Jesús a morir por mis pecados, sino que también vive en mí, y jamás me dejará ni me abandonará".

"Afortunados"

Antes de cerrar este capítulo debo aclarar que nuestra aceptación y valoración de parte del Señor no se basa en nuestros méritos personales, sino en su maravillosa gracia. Dios no nos acepta por lo que tenemos, sino a pesar de no tener nada. No nos acepta por lo que somos, sino a pesar de lo que somos. No nos acepta por lo que hacemos, sino a pesar de ello.

Cuenta la historia que un hombre puso el siguiente anuncio en la sección de objetos perdidos y encontrados del periódico: "PERRO PERDIDO. Cojea de una pata delantera, es tuerto del ojo izquierdo, tiene sarna atrás y en el lomo, no tiene cola. Fue castrado recientemente. Responde al nombre de *Afortunado*. ¿Afortunado? ¡Sí! Le diré por qué. Porque a pesar de todo lo malo que tiene, alguien lo ama lo suficiente como para buscarlo".

¿Sabes? Tú y yo también somos "afortunados". ¿Y sabes por qué? No por nuestros méritos, tampoco por nuestras buenas obras. Somos afortunados porque contamos con la *gracia* inmerecida de un Dios amante. "Gracia" es "extender favor o bondad hacia alguien que no la merece y que jamás podrá ganarla".[5] Eso fue lo que Dios hizo por cada uno de nosotros. Cuando éramos sus enemigos, él nos extendió su favor y bondad, y nos aceptó y nos salvó por medio de Cristo Jesús.

Hoy, al igual que el dueño de *Afortunado*, Alguien te está buscando. A pesar de todas tus cicatrices y defectos, ese Dios de amor quiere llevarte al hogar al que perteneces. Sé que cuando te miras en el espejo quizá no ves nada bueno en ti, no te sientes digno de que Dios te tenga en tan alta estima, ¡y eso es lo que hace a su amor tan maravilloso! El amor de Dios es el antídoto perfecto para el rechazo. La gracia nos enseña que nuestro valor no estriba en lo que los demás dicen de nosotros, sino en lo que Dios ya ha dicho desde la cruz. La gracia me dice que soy "afortunado", y tú también lo eres. ¿Lo crees así? Espero que tu respuesta sea un rotundo ¡Sí!

1. Irene Orce, "El miedo al rechazo", *La Vanguardia*, 13 marzo 2013, en https://blogs.lavanguardia.com/metamorfosis/el-miedo-al-rechazo-10099.

2. Tomado de June Hunt, *100 claves bíblicas para consejería* (Dallas, Texas: Esperanza para el corazón, 2001), p. 7.

3. Citado por Fernando Zabala, *Su nombre es ¡Admirable!* (Doral, Florida: Asociación Publicadora Interamericana, 2004), p. 110.

4. Elena G. de White, *El camino a Cristo* (Nampa, Idaho: Pacific Press Publishing Association, 1993), p. 15.

5. Charles R. Swindoll, *El despertar de la gracia* (Minneapolis, Minnesota: Editorial Betania, 1991), p. 18.

Preguntas para reflexionar

1. ¿Por qué el rechazo es tan doloroso?

2. ¿Por qué necesitamos ser valorados y aceptados?

3. ¿Qué historias utilizó Jesús para enseñar sobre nuestro valor a los ojos de Dios?

4. ¿Qué es la gracia de Dios?

5. ¿Por qué somos "afortunados"?

Capítulo 3

Sin temor al fracaso

Un turista conducía a través de una hermosa granja y de pronto vio a un viejo granjero, delgado y con abundante barba, que masticaba un pedazo de paja, sentado en una silla mecedora delante de su casa. El turista se detuvo a charlar con el hombre, y notó que detrás de la vieja granja había unas 30 hectáreas (75 acres) de tierra sin cultivar. El turista inició la conversación con una pregunta:

—¿Es su tierra?

—Así es —respondió él.

—Bien, ¿qué va a hacer con ella? ¿Está pensando en cultivar algodón?

—No. Temo que el gorgojo de los capullos lo ataque.

—¿Y qué del maíz?

—No. La langosta comerá el grano —respondió el granjero, masticando todavía la paja.

—Bueno, ¿hay otra cosa que puede hacer con la tierra? ¿Y si cría ganado?

—Temo que podría bajar el precio de la carne.

—Entonces, ¿qué va a hacer con sus treinta hectáreas de tierra fértil?

—Nada. No voy a correr riesgos.

La historia de este granjero ilustra uno de los temores más comunes: la *atiquifobia*, el miedo paralizante y recurrente al fracaso. De acuerdo con los estudios, el temor al fracaso figura entre la lista de los diez miedos humanos más extendidos. Lo acompañan otros miedos, que incluyen el miedo a hablar en público, el miedo al rechazo, el miedo a la desaprobación, el miedo a cometer errores, el miedo a la soledad, el miedo a los problemas financieros, y el miedo a la muerte.[1]

El temor al fracaso es un cruel tirano que lleva a sus víctimas a una vida de cohibición y retiro. Son muchos los que pasan por la vida dejando de correr riesgos por miedo a caer y recibir un fuerte golpe. Estos son los que prefieren caminar seguros, vivir en la monotonía de lo conocido por todos y sumergirse en la rutina, para sentir que siempre estarán bien. Lo triste es que en la mayoría de los casos, esta actitud termina en infelicidad, sueños frustrados y potencial desperdiciado.

El temor al fracaso ha hecho que los cementerios sean los lugares más ricos de la tierra. Puede que te preguntes: *¿Por qué?* Porque en muchas de esas tumbas se encuentran enterrados todo tipo de sueños y deseos que jamás se concretaron. Sepultados bajo tierra hay libros que jamás se escribirán, negocios que jamás se emprenderán e inventos que nunca verán la luz.

Todos, hasta cierto punto, hemos sentido temor al fracaso. De hecho, es importante entender que en algún momento de la vida tendremos que enfrentarlo. Por consiguiente, el asunto no es si algún día seremos víctimas del fracaso, sino cómo responderemos ante este miedo cuando llegue el momento. Cuando nos enfrentamos al fracaso, hemos de reconocer que solo tenemos tres alternativas: negarlo, culpar a otros, o permitir que nos ayude a madurar y a desarrollarnos. Solo la última opción nos da la fortaleza y el valor para salir adelante y avanzar hacia el logro de nuestras metas.

Josué: un guerrero con temor al fracaso

Si estás enfrentando el temor al fracaso, no estás solo. De hecho, muchos de los grandes héroes de la fe que encontramos en la Biblia lo experimentaron. La Biblia menciona a más de doscientas personas que sintieron miedo. ¡Y algunas de ellas tuvieron miedo al fracaso!

El Antiguo Testamento presenta la historia de un hombre llamado Josué, el sucesor de Moisés como dirigente de Israel. Este hombre, tal y como lo describe Elena G. de White, era un guerrero "valeroso, resuelto, y perseverante, pronto para actuar, incorruptible, despreocupado de los intereses egoístas en su solicitud por los encomendados a su protección y, sobre todo, inspirado por una fe viva en Dios".[2]

Pero a pesar de todo su heroísmo y valor, Josué luchaba con el temor al fracaso. Las Escrituras declaran que en cierta ocasión el Señor le dijo: "Mi siervo Moisés ha muerto; ahora, pues, levántate y pasa este Jordán, tú y todo este pueblo, a la tierra que yo les doy a los hijos de Israel. Yo os he entregado, como lo había dicho a Moisés, todo lugar que pisare la planta de vuestro pie. Desde el desierto y el Líbano hasta el gran río Éufrates, toda la tierra de los heteos hasta el gran mar donde se pone el sol, será vuestro territorio" (Josué 1:2-4).

Josué tenía grandes desafíos por delante. El primero de ellos era sustituir a Moisés. Sustituir a otra persona nunca es tarea fácil, pero sustituir a un líder de la talla de Moisés es un poco más complicado, por decir lo menos. Moisés, tal como lo muestra la Biblia y lo confirma la historia, fue uno de los mayores estadistas de todos los tiempos. Como guerrero, líder, emancipador, escritor, poeta o profeta, no tenía par. Además, la Biblia también nos dice: "Dios hablaba con Moisés cara a cara, como quien habla con un amigo" (Éxodo 33:11, DHH). ¡Y ese era el hombre al que Josué debía sustituir! ¡Por supuesto que su tarea no era fácil!

El segundo desafío que Josué tenía que enfrentar era "pasar el Jordán". El Jordán es el río más importante de Israel. Divide el país en dos partes: la región occidental, la parte más importante y rica, y la oriental. Normalmente, cruzar el Jordán no representaba un reto, pero cuando Josué recibió esta orden las cosas eran diferentes. Era primavera, la temporada en que el río se desborda, y atravesarlo era imposible. Josué estaba dirigiendo una multitud de más de dos millones de personas. Desde la perspectiva humana, el cruce del Jordán parecía una misión imposible.

Por último, Josué debía "conquistar la tierra". Para poseer la tierra, Josué debía dirigir los ejércitos de Israel en batalla contra pueblos desconocidos que los superaban en número y armamento. Además, las ciudades de Canaán eran fortalezas amuralladas, imponentes e imposibles de conquistar. Por consiguiente, Josué enfrentaba grandes y desafiantes circunstancias: sustituir a uno de los líderes más excepcionales de la historia, organizar el cruce del pueblo a través de las desbordadas aguas del Jordán, y enfrentar pueblos, ejércitos y ciudades formidables. Te pregunto: ¿Cómo crees que Josué se sintió? ¿Cómo te habrías sentido tú en su lugar?

Josué sintió miedo, el mismo miedo que siente una madre soltera que tiene que criar sola a sus hijos, o el que experimenta un inmigrante cuando llega a un país desconocido. Sintió el mismo miedo que enfrenta un estudiante que no tiene los medios para costear sus estudios universitarios. Sintió el profundo miedo al fracaso. Pero, justo cuando el miedo amenazaba con echar por tierra su carrera y su vida, Dios le dio un mensaje:

> Esfuérzate y sé valiente; porque tú repartirás a este pueblo por heredad la tierra de la cual juré a sus padres que la daría a ellos. Solamente esfuérzate y sé muy valiente, para cuidar de hacer conforme a toda la ley que mi siervo Moisés te mandó; no te apartes de ella ni a diestra ni a siniestra, para que seas prosperado en todas las cosas que emprendas. Nunca se apartará de tu boca este libro de la ley, sino que de día y de noche meditarás en él, para que guardes y hagas conforme a todo lo que en él está escrito; porque entonces harás prosperar tu camino, y todo te saldrá bien. Mira que te mando que te esfuerces y seas valiente; no temas ni desmayes, porque Jehová tu Dios estará contigo en dondequiera que vayas (Josué 1:6-9).

Ante sus desafíos, Dios le dijo a Josué: "No temas". También le entregó tres garantías especiales que lo habilitarían para vencer el temor al fracaso. La primera garantía que le entregó fue la seguridad de sus promesas. La tierra que Josué debía conquistar, hacía muchos años que les había sido "entregada". Dios les prometió la tierra de Canaán a Abraham, a Isaac y a Jacob. Por lo tanto, Josué no debía temer ante sus desafíos, pues las promesas divinas garantizaban su triunfo.

La segunda garantía que Dios le dio fue la certeza de su presencia. El Señor le dijo: "No temas ni desmayes, porque Jehová tu Dios estará contigo dondequiera que vayas" (vers. 9). Cuando la presencia de Dios nos acompaña, el temor no tiene razón de ser. Sin importar los desafíos que surgieran en el camino, Josué tenía la garantía de que Dios estaría a su lado, concediéndole la victoria.

En tercer y último lugar, Dios le entregó el poder de su Palabra. Le dijo a Josué: "Nunca se apartará de tu boca este libro de la ley, sino que de día y de noche meditarás en él, para que guardes y hagas conforme a todo lo que en él está escrito; porque entonces harás prosperar tu camino, y todo te saldrá bien" (vers. 8). Para poder superar sus temores, Josué debía aceptar, creer, meditar, obedecer y vivir la Palabra de Dios. Solo la Palabra de Dios le daría las fuerzas suficientes para derrotar el miedo.

Redefiniendo el fracaso

Antes de continuar con la historia de Josué, me gustaría abrir un paréntesis para redefinir el fracaso. Creo que una de las principales razones por las que luchamos contra el miedo al fracaso es porque tenemos un concepto deformado de lo que es el éxito. Pregúntale a un vendedor qué es el éxito, y te dirá que es convertirse en el número uno de su empresa. De igual manera, para el hombre de negocios el éxito consiste en ganar una considerable suma de dinero. Para un deportista, el éxito consiste en implantar un récord o ganar un campeonato. Las definiciones van y vienen, dependiendo a quién se le pregunte.

Ahora bien, es importante subrayar que el éxito, desde la perspectiva de Dios, es muy diferente del éxito según el concepto del mundo. Así que antes de redefinir el fracaso, voy a definir el éxito desde la perspectiva divina.

Si algo está claro en la Biblia, es el hecho de que Dios tiene un plan para cada uno de sus hijos. "Yo sé muy bien los planes que tengo para ustedes —afirma el Señor—, planes de bienestar y no de calamidad, a fin de darles un futuro y una esperanza" (Jeremías 29:11, NVI). Y mediante Isaías el Señor también nos recuerda: "Como son más altos los cielos que la tierra, así son mis caminos más altos que vuestros caminos, y mis pensamientos más que vuestros pensamientos" (Isaías 55:9).

"El ideal que Dios tiene para sus hijos —escribió Elena G. de White— está por encima del alcance del más elevado pensamiento humano".[3] Así que, a la hora de definir lo que constituye el verdadero éxito, la pregunta que debemos hacer es: *¿Cuál es la voluntad de Dios?* En otras palabras, ¿cuál es el propósito de Dios para mi vida?

Se cuenta que durante el siglo XI, Enrique III el Negro, emperador del Sacro Imperio Romano Germánico, agobiado por las presiones de la vida de palacio, solicitó al superior de un monasterio que lo admitiera para llevar una vida de reflexión y contemplación. El monje le preguntó si estaba consciente de lo que estaba pidiendo. Acostumbrado a dar órdenes, ¿cómo podría el emperador habituarse a una vida de obediencia? Según el relato, él respondió que entendía perfectamente lo que la vida monástica requería y afirmó que estaba dispuesto a obedecer durante el resto de su vida.

—Si está dispuesto a obedecer —contesto el prelado— entonces le diré lo que debe hacer. Regrese al palacio y sirva en el lugar donde Dios lo ha colocado.

En esto consiste el éxito verdadero. Es estar donde Dios quiere que estés, haciendo lo que él desea que hagas. ¿Estás ahora mismo en el lugar en que Dios quiere que estés? ¿Estás cumpliendo con la misión que él quiere que cumplas? El gran predicador Charles Stanley dijo que el éxito "es el logro continuo de llegar a ser la persona que Dios quiere que usted sea y lograr las metas que él le ha ayudado a establecer".[4]

Cuando entendamos que el éxito va más allá de lograr cosas pasajeras, nuestra perspectiva respecto al fracaso cambiará radicalmente. Cuando vemos el éxito desde la perspectiva de Dios, entendemos que *no hay mayor fracaso que tener éxito en las cosas que no importan para la eternidad.*

Puede que lo que hoy consideres como éxito, a la vista de Dios no lo sea. De igual manera, puede que lo que veas como un fracaso no sea sino la oportunidad que el Señor está utilizando para llevarte al lugar donde él desea que estés. Por esta razón, nunca debes ver el fracaso como tu director, sino como tu maestro. Por consiguiente:

- Fracaso no significa que somos unos fracasados... significa que todavía no hemos tenido buen éxito.

- Fracaso no significa que no hemos logrado nada... significa que hemos aprendido algo.
- Fracaso no significa que hemos sufrido el descrédito... significa que estuvimos dispuestos a probar.
- Fracaso no significa falta de capacidad... significa que debemos hacer las cosas de otra manera.
- Fracaso no significa que somos inferiores... significa que no somos perfectos.
- Fracaso no significa que hemos perdido nuestra vida... significa que tenemos buenas razones para empezar de nuevo.
- Fracaso no significa que debemos echarnos atrás... significa que tenemos que luchar con mayor ahínco.
- Fracaso no significa que jamás lograremos nuestras metas... significa que tardaremos un poco más en alcanzarlas.

Cuando veamos el fracaso desde esta óptica, el temor no nos robará la productividad y el gozo de la vida. Estaremos dispuestos a enfrentar riesgos, sabiendo que cada experiencia será un peldaño que nos ayudará a seguir adelante.

Venciendo el temor al fracaso

¿Recuerdas a Josué? La Biblia dice que él avanzó a la conquista de la tierra prometida. Josué enfrentó a sus enemigos y vivió su vocación fielmente. Entonces nos preguntamos: *¿Cómo pudo vencer el temor al fracaso?* La clave de su victoria estuvo en aceptar y creer, en meditar, obedecer y vivir la Palabra de Dios. El poder de la Palabra de Dios es el antídoto eficaz para destronar de la mente y los sentimientos el temor al fracaso. El doctor David Jeremiah escribió: "La Biblia es la mayor fuente de ánimo disponible actualmente. Cuando la leemos somos transformados, porque es un libro vivo. Cuando le tenemos miedo al fracaso o sentimos que somos un fracaso, la Palabra de Dios debería ser nuestra prioridad absoluta. Las palabras que encontramos allí llenarán nuestros corazones y nuestras mentes de fortaleza y de valor. Mientras más nos enfoquemos en Dios y en su Palabra, menos lugar habrá para el miedo".[5]

Al igual que Josué, tú y yo necesitamos el poder de la Palabra de

Dios para sobreponernos a todos nuestros temores. Pero para que el poder de la Palabra de Dios llegue a ser realidad en nuestras vidas, primero necesitamos ejecutar acciones:

Aceptar su autoridad. Hemos de recordar que la Biblia es la autoridad suprema de la verdad. El profeta Isaías lo expresó bien al escribir: "¡A la ley y al testimonio! [la Escritura de su tiempo] Si no dijeren conforme a esto, es porque no les ha amanecido" (Isaías 8:20). La Biblia está por encima de cualquier autoridad terrenal; por consiguiente debe ser "la guía de autoridad de mi vida: la brújula en la que confío como mi guía, el consejo que escucho para tomar decisiones sabias, y la referencia para evaluarlo todo. La Biblia debe ser la primera y la última palabra en mi vida".[6]

Internalizar sus enseñanzas. No basta con solo aceptar la autoridad de las Escrituras, es necesario asimilar sus enseñanzas. Debemos dedicar tiempo a la lectura de la Palabra de Dios y a meditar en sus grandes verdades. El escritor del primero de los salmos estaba consciente de esto cuando escribió: "Bienaventurado el varón que no anduvo en consejo de malos, ni estuvo en camino de pecadores, ni en silla de escarnecedores se ha sentado; sino que en la ley de Jehová está su delicia, y en su ley medita de día y de noche" (Salmo 1:1, 2). La Palabra de Dios debe constituirse en nuestro alimento espiritual. Jesús mismo dijo: "No solo de pan vivirá el hombre, sino de toda palabra que sale de la boca de Dios" (S. Mateo 4:4). Así como el cuerpo necesita el alimento físico para subsistir, la mente necesita el alimento espiritual para crecer. Jeremías declara: "Fueron halladas tus palabras, y yo las comí; y tu palabra me fue por gozo y por alegría de mi corazón" (Jeremías 15:16).

Aplicar sus principios. Es inútil aceptar la autoridad de las Escrituras e internalizar sus enseñanzas si no estamos dispuestos a poner en práctica sus principios. El apóstol nos exhorta: "Sed hacedores de la palabra, y no tan solamente oidores, engañándoos a vosotros mismos" (Santiago 1:22). El propósito primordial de las Escrituras es que lleguemos a estar "completamente preparado[s] para hacer toda clase de bien" (2 Timoteo 3:17, DHH). Cuando aplicamos los principios dados por Dios en su Palabra, nuestra vida estará fundamentada en una firme plataforma. Jesús dijo: "Cualquiera, pues, que me oye estas palabras, y las hace, le compararé a un hombre prudente, que edificó su casa sobre la roca. Descendió lluvia, y vinieron ríos, y soplaron vientos, y golpearon contra aquella casa; y no cayó, porque estaba fundada sobre la roca" (S. Mateo 7:24, 25).

"Yo estaré contigo dondequiera que vayas"

Querido amigo, es una realidad que el temor al fracaso vendrá a tu corazón pretendiendo detener tus esfuerzos o aniquilar tus sueños. Pero al igual que Josué, tú puedes sobreponerte al temor. Solo necesitas enfocar tu mente en el poder de la Palabra de Dios. Nunca olvides que el Señor ha prometido estar contigo dondequiera que vayas.

En 2007, estaba sirviendo como pastor en uno de los pueblos de la región norte de mi país. Dios me había dado seis bendecidos años de ministerio. Sin embargo, justo a principios de ese año sentí la impresión de mudarme a los Estados Unidos. Decidí orar por el asunto y dejar todo en manos de Dios. La impresión crecía más y más, hasta que un día decidí consultar con mi esposa. Le pregunté qué pensaba sobre el asunto. Ella me dijo que estaba de acuerdo con la idea de mudarnos, pero a vez me pidió que lo pensara muy bien.

Comencé a investigar sobre las oportunidades de trabajo que habría disponibles para mí y me di cuenta de que eran muy pocas. Por otro lado, no tenía alguien de confianza que me pudiera recibir en una de sus congregaciones. Los amigos que habían emigrado estaban ayudando a los pastores en alguna iglesia o no tenían espacio para recibirme. Como si todo esto fuera poco, mi esposa, mi hijo Ernesto y yo apenas teníamos la visa de turista. Después de mucha reflexión, concluí que esta impresión podría ser el producto de aspiraciones personales. Así que tomé la decisión de olvidar el asunto.

Pero mientras el tiempo transcurría, aquella impresión comenzó a tomar fuerza en mi corazón, y llegué a la conclusión de que lo que yo consideraba una impresión podía en realidad ser un llamado de Dios. Así que volví a considerarlo. En ese tiempo, la administración de la Iglesia Adventista en el norte de la República Dominicana me había elegido junto con otros compañeros de trabajo para cursar una maestría en Liderazgo pastoral. Realizar esa maestría era uno de mis sueños. Sin embargo, si optaba por irme a los Estados Unidos y seguir lo que me indicaba el corazón, no podía aceptar la oferta de estudios. Era una cosa o la otra.

Una mañana, me acerqué al entonces presidente de la Asociación Dominicana de Iglesias Adventistas del Norte y le conté mis planes. Abrí mi corazón, y le dije que sentía que Dios me estaba llamando a otro lugar. También le dije que no tenía ninguna oferta de trabajo, pero que aun así aceptaría lo que entendía que era la voluntad de Dios para mí. Aquella mañana al salir de la oficina, entendí que ya no había vuelta atrás.

Pero algo más aconteció ese día: un manto de temor me envolvió. Decenas de preguntas me embargaban: *¿Y si no puedo conseguir una oportunidad? ¿Qué dirá la gente cuando sepa que estoy dejando mi trabajo para salir a aventurar? Y mis amigos, ¿cómo tomarán la noticia? ¿Qué dirán mis familiares y los de mi esposa?* Estas y muchas otras preguntas acuciaban mi mente.

Después de hablar con el presidente de la iglesia en esa región, el próximo paso era comunicar por escrito mi decisión. Redacté la carta y la entregué para que la leyeran en la junta directiva. En este punto ya todo estaba decidido. No había vuelta atrás. La noticia, como era de esperarse, se hizo pública. Compañeros de trabajo, amigos y miembros de la iglesia se enteraron de que en pocos meses me marcharía del país.

En esos días hubo una reunión general de pastores. Como aún me quedaban algunas semanas de trabajo, tenía la responsabilidad de asistir. Debo confesar que no tenía el deseo de presentarme, pues sabía que todos me hablarían del tema. ¿Y sabes qué aconteció? Todos mis amigos, colegas y conocidos se refirieron al asunto. Algunos me animaron y expresaron palabras de encomio, pero muchos otros manifestaron pena, y unos auguraron mi fracaso. Recuerdo que aquella tarde llegué a la habitación del hotel y escribí una nota en mi diario personal: "La mayoría piensa que voy a fracasar".

La reunión terminó. Las semanas pasaron, y el 26 de julio de 2007 me encontraba en el Aeropuerto Internacional del Cibao, en Santiago de los Caballeros, con apenas una maleta de ropa y otra con algunos libros. Estaba dejando mi zona de bienestar y comodidad para ir a enfrentarme a desafíos desconocidos. El miedo al fracaso me embargaba. Sentado en la sala de espera, un amigo que también estaba viajando me vio. Se acercó a mí y me dijo: "Yeury, me enteré de tu decisión. Solo te quiero decir algo que ya sabes: Dios estará contigo dondequiera que vayas". Esas palabras fueron para mí un oasis de esperanza. Llegaron a mi vida cuando más las necesitaba. Me levanté con ánimo resuelto. Al igual que Josué, decidí confiar en el poder de la Palabra de Dios y hacerle frente al temor.

El tiempo ha pasado, y he sido testigo de las maravillas de Dios. Tuve mucho miedo al fracaso, pero el Señor me concedió la victoria. Hoy Dios desea hacer lo mismo contigo. No temas, solo esfuérzate y sé valiente, porque "Jehová tu Dios estará contigo en dondequiera que vayas" (Josué 1:9).

1. Citado por Jentezen Franklin, *Los cazadores del miedo* (Lake Mary, Florida: Casa Creación, 2009), p. 134.

2. Elena G. de White, *Patriarcas y profetas* (Mountain View, California: Pacific Press Publishing Association, 1954), pp. 514, 515.

3. Elena G. de White, *Mensajes para los jóvenes* (Mountain View, California: Pacific Press Publishing Association, 1967), p. 37.

4. Charles Stanley, *El éxito a la manera de Dios* (Nashville, Tennessee: Thomas Nelson, 2000), p. 3.

5. David Jeremiah, *¿A qué le tienes miedo?* (Carol Stream, Illinois: Tyndale House Foundation, 2014), p. 118.

6. Rick Warren, *Una vida con propósito* (Miami, Florida: Editorial Vida, 2003), p. 202.

Preguntas para reflexionar

1. ¿Hacia dónde puede llevarnos el temor al fracaso?

2. ¿Cuáles fueron los desafíos que Josué tuvo que enfrentar?

3. Ante el temor, ¿qué tres garantías de victoria le entregó Dios a Josué?

4. ¿Cómo podemos vencer el temor al fracaso?

5. ¿Qué tres acciones debemos tomar en relación con la Palabra de Dios?

Capítulo 4

Sin temor a lo repentino

Cada día nos trae nuevos desafíos que debemos superar. Cada recodo del trayecto esconde un nuevo problema. A veces en el ámbito laboral, otras en el educativo, y otras veces el problema surge en la familia o incluso en la salud. Cuando no es en la abundancia, es por la escasez. En definitiva, los problemas están a la orden del día, siempre presentes para consumir nuestro tiempo, controlar nuestros pensamientos y llenarnos de miedo.

Puede que mientras lees estas líneas te encuentres inmerso en alguna situación adversa. A lo mejor tienes deudas (¿quién no?), conflictos, frustraciones, angustia, traumas, abandonos, contrariedades, enfermedades y sufrimientos. Tal vez sientes que tu vida se está hundiendo poco a poco en la arena movediza de todos tus problemas y, como en la arena movediza real, sientes que no vale la pena seguir luchando y que lo mejor que puedes hacer es darte por vencido y "dejarte tragar" por los problemas. Muy posiblemente, tu salud o hasta tu vida está siendo amenazado por el COVID-19 o por otra enfermedad. Pero tengo buenas noticias para ti: no hay problema que Dios no pueda resolver. Por lo tanto, nada tienes que temer.

Atrapados en medio de la tormenta

Es importante entender que todos tenemos problemas, y que muchas veces no podemos predecir cuándo nos enfrentaremos al próximo desafío. El problema radica en el trauma que lo inesperado a veces nos produce. Muchas personas dejan de disfrutar la vida por miedo a las "sorpresas desagradables" que a veces experimentamos; otros, como resultado de los traumas y las inseguridades, ni siquiera pueden disfrutar de los momentos de paz y sosiego. No sé si te ha pasado, pero cuando todo parece estar bien, cuando tenemos salud, trabajo y el amor de nuestros seres queridos, nos embarga esa inseguridad, ese presentimiento de que "todo parece demasiado perfecto", y lo identificamos como "la calma que precede a la tormenta". Es ese miedo el que nos mortifica cuando todo está bien y hace que cada momento de nuestra vida parezca una tormenta. En la Biblia hallamos un ejemplo de una tormenta repentina que nos muestra cómo podemos manejar el miedo a lo desconocido, a lo repentino. Este acontecimiento en la vida de los discípulos es narrado en San Mateo 14:22-32, San Marcos 6:45-52 y San Juan 6:16-21.

El relato cuenta que después de que Jesús hubo alimentado a la multitud por medio del milagro de los cinco panes y dos peces, ordenó a sus discípulos que subieran a la barca y cruzaran el Lago de Genesaret, también conocido como el Lago de Tiberiades, o más comúnmente en la Biblia como el Mar de Galilea.

El Mar de Galilea es un brazo de agua dulce de unos 21 kilómetros (13 millas) de largo por 13 kilómetros (8 millas) de ancho. Este lago está rodeado por cerros y montañas, y se encuentra a unos doscientos metros bajo el nivel del mar. Debido al choque del aire fresco que proviene de las montañas con el aire cálido y húmedo que se desplaza sobre el mar, es muy fácil que se desaten tormentas violentas de forma repentina e inesperada. Aquella tarde se desataría una de esas tormentas.

Cuando los discípulos se embarcaron, el panorama lucía tranquilo y el cielo se vislumbraba despejado. Lo último que ellos esperaban eran problemas. Su propósito era llegar sin contratiempos a puerto seguro. Pero en un instante el panorama cambió. De forma repentina se produjo una tormenta. Mateo, uno de los doce discípulos y testigo presencial de lo ocurrido, narra la historia para nosotros en su Evangelio. Presenta con detalles cuatro realidades o circunstancias en las que se encontraban los discípulos cuando la tormenta los tomó por sorpresa (ver S. Mateo 14:22-25).

En primer lugar, la tormenta los sorprendió *en medio del mar*. Los discípulos iban remando, y de seguro ya estaban cansados. Sus manos estaban paralizadas por el temor, pero no podían parar, porque estaban en medio del mar. Era difícil avanzar. Estaban demasiado lejos como para nadar hasta la orilla, y la línea costera se les hacía invisible. Por otro lado, no podían recibir ayuda de nadie porque estaban aislados. Ni siquiera sus voces se escuchaban en medio de la tempestad. Tendrían que luchar solos contra la tormenta.

La Biblia añade en segundo lugar que la barca era *"azotada por las olas"*. En medio de la locura, el agua amenazaba con hundir la embarcación. En tercer lugar, el viento *"les era contrario"*. Mientras más trataban de salir de allí, más inútiles resultaban sus esfuerzos. En lugar de avanzar hacia la orilla se adentraban más en el mar. Por último, y para colmo de males, la tormenta arreció en el *"momento más oscuro de la noche"*. De acuerdo con Mateo, era la cuarta vigilia de la noche, aproximadamente las tres de la mañana.

Sin embargo, tal como ha observado el escritor y conferenciante internacional Saulo Hidalgo, la tormenta más grave que los discípulos enfrentaban aquella fatídica noche no era la que había ocasionado el viento sino la que ocurría en sus mentes como resultado de la duda. La tormenta causada por el viento los hacía tambalear; la tormenta causada por la duda los derribaba. La de afuera atacaba sus nervios; la de adentro atacaba su fe. La de afuera los lastimaba; la de adentro los destruía.[1]

Es posible que, al igual que los discípulos, te encuentres petrificado en medio de una tormenta que se ha levantado repentinamente en tu contra. Sientes que la embarcación de tu vida zozobra y las heladas aguas se elevan contra ti. El viento sopla con fuerza implacable y la oscuridad no te permite ver más allá de tus circunstancias. He tenido días así, cuando pareciera que la tormenta no tiene fin.

Hace dos años comencé a sentir un fuerte dolor en mis articulaciones. Desde niño había gozado de buena salud; sin embargo, cuando acababa de cumplir treinta y ocho años, mi estado de salud cambió drásticamente. Un día no pude levantarme de la cama; tuve que hacer un gran esfuerzo para ponerme en pie. Las rodillas me dolían tanto que se me dificultaba subir o bajar las escaleras, y empecé a perder fuerza en las manos al punto que no podía ni siquiera cerrar los puños. Me preguntaba: *¿Qué me está sucediendo?*

Acudí al médico y me sometí a los exámenes necesarios. Para mi asombro, según los estudios me encontraba en óptimas condiciones. Pero por precaución me indicaron unas radiografías. Al igual que en los demás exámenes, según las radiografías todo marchaba bien. Pero, aunque todo se veía bien, yo me sentía muy mal, pues los dolores en vez de disminuir aumentaban. Había noches en que el dolor era tan fuerte que no podía conciliar el sueño. En mi desesperación, no sabía qué hacer.

Pasado un tiempo, decidí acudir a un especialista para buscar una segunda opinión. Le expliqué lo que me estaba sucediendo. Él me preguntó cuándo habían iniciado los dolores. Le dije que hacía unos meses. También me preguntó si en los últimos meses había estado en alguna zona boscosa. Le dije que unos meses antes había visitado un parque a las afueras de la ciudad. Terminada la conversión, me hicieron más estudios. Esta vez se pudo dar con la causa del problema. "En algunas zonas boscosas de los Estados Unidos —me dijo el doctor— existen ciertos insectos que pueden ser altamente peligrosos. Parece que cuando visitaste ese lugar, te picó uno de esos insectos, y por eso te vinieron esas complicaciones".

Esa noticia cambió mi vida de la noche a la mañana. Tuve que someterme a meses de tratamiento para contrarrestar el problema. También pasé aproximadamente un año en terapia física para recobrar la fortaleza en las manos. Me encontré literalmente en el ojo de la tormenta. Debo confesarte que es fácil navegar en los días cuando el sol brilla sobre nosotros, pero cuando se oculta y da paso a la tormenta, avanzar parece imposible.

Jesús en medio de la tormenta

Justo cuando la tormenta estaba en su punto más fuerte, cuando las esperanzas se habían desvanecido, cuando los esfuerzos humanos habían llegado a su fin, cuando la oscuridad era más densa y el viento rugía con más furia, Jesús apareció en rescate de sus atemorizados discípulos.

¿Cómo apareció en aquella tormentosa noche? Lo primero que la Biblia nos dice es que se acercó "andando sobre el mar" (S. Mateo

14:25). Jesús decidió ir a la barca caminando sobre las alborotadas aguas del Mar de Galilea. ¿Por qué hizo esto? ¿Qué deseaba mostrar con ello? El gran predicador Adrián Rogers nos dice: "Cuando Jesús caminó sobre aquellas aguas alborotadas, estaba demostrándoles [a sus discípulos] que aquello que ellos pensaban que iba a acabar sobre sus cabezas ya estaba bajo los pies de él".[2]

¡Alabado sea el nombre del Señor! Nuestros problemas, por grandes que sean, están bajo los pies de Jesucristo. Nunca nos encontraremos en un lugar en que él no pueda socorrernos. Ninguna tormenta es tan severa que él no pueda apiadarse de nosotros. La tormenta nunca será tan furiosa, la noche nunca será tan tenebrosa, la embarcación nunca será tan frágil como para que quedemos fuera del cuidado de nuestro amante y tierno Salvador.

Lo segundo que Jesús hizo fue hablar a sus discípulos. Él les dijo: "¡Tened ánimo; yo soy, no temáis!" (vers. 27). Es importante entender que estos doce hombres habían estado con Jesús anteriormente. Eran sus discípulos. Lo habían visto realizar milagros poderosos. Pero, a pesar de todo lo que habían visto y oído, no tenían un concepto claro de su persona. Para algunos de ellos, Jesús era un gran maestro. Para otros era un hacedor de milagros. Para la mayoría, era un revolucionario social que libraría a la nación judía del yugo opresor de los romanos. *¿Quién, pues, es Jesús?* Era la pregunta en la mente de los discípulos. Y es en medio de la tormenta cuando reciben la respuesta definitiva.

Cuando Jesús aparece les dice: "Yo Soy". Esta expresión es más que una construcción gramatical. Es más que la conjugación de un verbo. Es nada más y nada menos que el nombre más importante adoptado por Dios en el Antiguo Testamento. Miles de años atrás, en el episodio de la zarza ardiente (ver Éxodo 3), cuando Moisés le preguntó a Dios qué nombre debía darle al pueblo de Israel cuando este preguntara por el nombre de Dios, él respondió: "YO SOY EL QUE SOY. Y dijo: Así dirás a los hijos de Israel: YO SOY me envió a vosotros" (Éxodo 3:13, 14).

En hebreo, el idioma en que se escribió casi todo el Antiguo Testamento, no existen las vocales. Por consiguiente, el nombre "Yo

Soy", se escribía YHWH en hebreo. Estas cuatro letras se conocen como el *Tetragrámaton*. Según la tradición, cuando los judíos debían pronunciar las letras del nombre de Dios, para no profanarlo usaban el nombre *Adonai*, que significa "Señor" en hebreo. Pasado el tiempo, un grupo de eruditos judíos llamados masoretas hicieron una combinación de las vocales de la palabra *Adonai*, con las consonantes YHWH. El resultado fue el nombre *Yahweh,* que en las traducciones al español de la Biblia aparece como *Jehová.*

El nombre Jehová lleva implícito el concepto del Ser absoluto, el que es y cuya presencia dinámica obra a nuestro favor. Jehová es el que "vive eternamente", "el que existe por sí mismo", el "autosuficiente", "el que todo lo puede".

Cuando Jesús adoptó el nombre "Yo Soy", se identificaba como el gran Jehová del Antiguo Testamento. Por lo tanto, los discípulos, al igual que Gladys Aylward, no tenían nada que temer. Gladys Aylward fue una fiel misionera que trabajó en China hace más de cincuenta años. Cuando los japoneses invadieron Yangcheng, Gladys se vio obligada a huir; pero no se marchó sola. Llevó consigo a más de cien niños huérfanos, tan solo con la ayuda de un asistente.

Durante el desgarrador viaje, Gladys luchó con la desesperación y el desánimo como nunca antes. Después de pasar una noche de insomnio, se enfrentó a la mañana sin la esperanza de llegar a un lugar seguro. Fue entonces cuando una niña del grupo, de apenas trece años, le recordó la historia de Moisés y los israelitas mientras cruzaban el mar Rojo.

—¡Pero yo no soy Moisés! —gritó Gladys, desesperada.

—Por supuesto que no —dijo la niña—, ¡pero Jehová sigue siendo Dios![3]

De igual manera, no tenemos que temer a los problemas de la vida: Jesús es el gran "Yo Soy". En siete ocasiones Jesucristo se autoproclamó: "Yo soy el pan de vida" (S. Juan 6:35); "Yo soy la luz del mundo" (S. Juan 8:12); "Yo soy la puerta" (S. Juan 10:7); "Yo soy el buen pastor" (S. Juan 10:11); "Yo soy la resurrección y la vida" (S. Juan 11:25); "Yo soy el camino, y la verdad, y la vida" (S. Juan 14:6); "Yo soy la vid verdadera" (S. Juan 15:1).

Jesús puede suplir todas y cada una de nuestras necesidades (ver S. Mateo 6:25-34; Filipenses 4:19). Él tiene el poder de sanarnos de toda enfermedad y toda dolencia (ver Salmo 103:3). Él libra nuestras batallas y derrota a todos nuestros enemigos (Éxodo 14:14). Él nos da la paz en medio de las tormentas de la vida (Filipenses 4:9). No importa cuál sea el problema, Jesús es suficiente. Si tienes hambre espiritual, él te ofrece el pan de vida (S. Juan 6:51). A los que andan en oscuridad, les imparte luz (Salmo 36:9). Ante las dificultades, él es la puerta que siempre brinda solución (S. Lucas 1:37). En la desesperación, él es el buen pastor (Salmo 23). En los momentos de confusión, él es el camino (Salmo 48:14). Sí, amigo, no hay situación tan adversa que él no pueda enmendar, ni oscuridad que no pueda disipar, ni tormenta que no pueda calmar.

Aquella tormentosa noche Jesús se reveló a sus discípulos, no como un maestro religioso ni como un líder carismático o un hacedor de milagros. Se reveló como lo que realmente es: "Emmanuel: Dios con nosotros" (ver S. Mateo 1:23).

En 2003 salió a la luz pública el controversial libro *El código Da Vinci*, y en pocas semanas se convirtió en éxito de librería con más de ochenta millones de ejemplares vendidos. La trama de esta obra fue adaptada y llevada al cine, intentando presentar a Jesús como "un profeta mortal... un hombre grande y poderoso, pero un hombre, un ser mortal".[4]

Sí, hoy por hoy, ese es el Jesús que se desea presentar: "un gran hombre", "un gran maestro", "un revolucionario", "un gran líder y motivador", y nada más. La filosofía posmoderna busca hacer de Jesús uno entre muchos. Desea reconstruir el retrato de Jesús revelado en las Escrituras. El secularismo intenta reducir el brillo de su divinidad. ¿Y de qué nos sirve un hombre más ante lo inesperado? ¡De nada! Pero, ¡gloria a Dios porque la Biblia declara que Jesús es nuestro Creador y Sustentador! Por lo tanto, te insto a que apartes tu vista de los argumentos filosóficos que pretenden opacar la divinidad de Jesús, y con corazón sincero leas los siguientes pasajes de la Palabra de Dios que muestran sin lugar a duda que Jesús es Dios.

- "En el principio era el Verbo, y el Verbo era con Dios, y el Verbo era Dios. Este era en el principio con Dios. Todas las cosas por él fueron hechas, y sin él nada de lo que ha sido hecho, fue hecho" (S. Juan 1:1-3).
- "[A ellos también pertenecen] los patriarcas, de los cuales, según la carne, vino Cristo, el cual es Dios sobre todas las cosas, bendito por los siglos. Amén" (Romanos 9:5).
- "Haya, pues, en vosotros este sentir que hubo también en Cristo Jesús, el cual, siendo en forma de Dios, no estimó el ser igual a Dios como cosa a que aferrarse" (Filipenses 2:5, 6).
- "Aguardando la esperanza bienaventurada y la manifestación gloriosa de nuestro gran Dios y Salvador Jesucristo" (Tito 2:13).

Hoy hemos de tomar una decisión: o aceptamos lo que las corrientes filosóficas enseñan, o depositamos nuestra fe en lo que la Palabra de Dios dice. El célebre escritor británico C. S. Lewis declara que hay una tontería que hemos de evitar:

"Estoy dispuesto a aceptar a Jesús como un gran maestro moral, pero no acepto su pretensión de ser Dios". Un hombre que fuera simplemente un hombre y dijera la clase de cosas que Jesús decía no sería un gran maestro moral. Sería, o un lunático, al mismo nivel de un hombre que dice ser un huevo frito, o el demonio del infierno. Tienen que elegir: o este hombre era, y es, el Hijo de Dios; o un loco, o algo peor. Puedes encerrarlo como a un loco, puedes escupirlo y maltratarlo como a un demonio, o puedes caer a sus pies y llamarlo Señor y Dios. Pero no vengamos con tonterías condescendientes acerca de que él era un gran maestro. Él no nos dejó abierta esa posibilidad. No tenía ninguna intención de hacerlo. O rechazamos a Jesús, negando su divinidad; o, como Tomás, nos echamos a sus pies y lo reconocemos diciendo: "¡Señor mío, y Dios mío!" (S. Juan 20:28).[5]

"En Cristo tengo paz"

La historia de los discípulos en el mar de Galilea tuvo un final feliz. Según lo relatado por Marcos, el mar se aquietó cuando Jesús "subió a la barca" (S. Marcos 6:51). Eso es lo que ocurre cuando Jesús entra en la barca de nuestra vida: cesan los conflictos y los temores del alma dejan de ser. En su lugar nace la serena alegría de vivir en la amante compañía de Dios.

Hace tiempo conocí a una joven que pasó por una gran tormenta y encontró la paz en Jesús. Durante mucho tiempo había estado lidiando con las adicciones. Debido al consumo de alcohol había perdido su matrimonio, su trabajo, y estaba a punto también de perder la custodia de su hija. La situación en su vida se empeoraba cada vez más y más. Fue cayendo lentamente en una profunda depresión. No salía a la calle. No le importaba nada. Pasaba los días llorando, encerrada en su habitación. Un día recibió una carta del juzgado en la que se le informaba sobre la decisión final para la custodia de su hija: el tribunal había fallado en su contra.

Ella cuenta que aquella fue la gota que derramó la copa. Le habían quitado el único motivo que tenía para vivir. Sentía que su vida no tenía razón de ser, así que tomó la funesta decisión de quitarse la vida arrojándose desde la azotea de su apartamento. En una noche fría de invierno decidió que pondría fin a la pesadilla que estaba viviendo.

Pero justo allí, cuando más oscura era la noche, cuando los vientos soplaban con más fuerza en su contra, cuando las olas de la desesperación estaban por hundir la frágil embarcación de su vida, una llamada telefónica interrumpió sus pensamientos suicidas. Un compañero de trabajo, miembro de una de nuestras iglesias adventistas, decidió llamarla para saber cómo estaba. Fue una llamada oportuna. Después ella explicó que no podía entender cómo en ese preciso momento alguien pudo llamarla. Cuando contestó la llamada su amigo la saludó, y ella, sin poder decir una sola palabra, estalló en llanto. Sin dilación alguna, este siervo de Dios y su esposa fueron en su ayuda. La encontraron en un mar de lágrimas. Le hablaron de Jesús, le dijeron que no todo estaba perdido y que podía salir de esa triste y dolorosa situación. Oraron con ella y la invitaron a la iglesia.

En ese tiempo se realizaban unas reuniones de evangelización. Ella asistió hasta que la serie concluyó. Cada noche se levantaba y pasaba al frente entregando su vida y su situación a Jesucristo. Al final de la semana entregó su corazón a Jesús por medio del bautismo, y de inmediato su vida dio un drástico giro. Quedó libre de su adicción al alcohol, recuperó su trabajo, y pudo conseguir que le permitieran estar con su hija los fines de semana. En una noche tormentosa Jesús apareció, trayendo paz y consuelo a su corazón.

Recuerdo que después de su bautismo ella contó su testimonio. Daba gracias a Dios por aquella llamada que cambió el rumbo de su vida. Pidió oraciones para que Dios le diera las fuerzas a fin de no volver atrás. Al final, el pastor le preguntó: "¿Cómo te sientes ahora?". Y ella dijo de inmediato: "En Cristo tengo paz".

A veces me toca manejar en zonas que no conozco y debo confesar que me atemoriza la idea de no saber bien a dónde voy ni cuál es el mejor camino para llegar allí. A veces he tomado caminos equivocados, y al girar en una esquina me encuentro con un callejón sin salida o termino perdido en un barrio peligroso de la ciudad. Por suerte para mí, la tecnología nos ha provisto el sistema de posicionamiento global (GPS, por sus siglas en inglés). Así que cuando voy a un lugar sin conocer la ruta, tengo la seguridad de que llegaré. El GPS me da seguridad al viajar. Sé que cada giro o calle que tomo ha sido seleccionada por un programa que conoce el mejor camino para llevarme a mi destino. Amigo, si tu vida transita por aguas calmadas, le agradezco a Dios por ello. Pero, si al leer estas líneas te encuentras en algún sendero desconocido, y temes, pues no sabes qué traerá el próximo tramo del trayecto, hoy puedes aferrarte de la mano guiadora y sustentadora del Eterno y avanzar confiadamente. Esta mano es mejor que el más sofisticado sistema de posicionamiento global de factura humana. Hoy puedes superar el miedo a lo repentino y desconocido si reconoces que tu vida y tus caminos no se encuentran en las manos caprichosas del azar sino en los tiernos brazos de Jesús. Hoy puedes hacer frente a los desafíos inesperados por medio de las palabras del Salvador: "¡Ten ánimo! Yo soy, no tengas miedo".

1. Saulo Hidalgo, *No te rindas* (República Dominicana: Editora Serigraf, 2010), p. 42.

2. Adrián Rogers, *Crea en milagros, pero confíe en Jesús* (El Paso, TX: Editorial Mundo Hispano, 2008), p. 125.

3. Gordon Curley, "Nowhere To Go", *Sermon Central*, 8 junio 2012, en https://www.sermoncentral.com/sermons/nowhere-to-go-gordon-curley-sermon-on-moses-167398?page=5&wc=800.

4. Dan Brown, *El código Da Vinci* (Barcelona: Ediciones Urano, S.A, 2003), p. 212.

5. C. S. Lewis, *Mero cristianismo* (Harper Collins, 2006), pp. 49, 50.

Preguntas para reflexionar

1. ¿Cuáles fueron algunas de las características de la tormenta que sorprendió a los discípulos?

2. ¿Qué significado tiene el hecho de que Jesús se acercara a sus discípulos caminando sobre el agua?

3. ¿Por qué Jesús se autoproclamó como el gran "Yo Soy"?

4. ¿Qué persiguen ciertas corrientes filosóficas con relación a la persona de Jesús?

5. ¿Existe evidencia bíblica que sustente la divinidad de Jesús?

Capítulo 5

Sin temor al futuro

Una de las emociones más difíciles de manejar es la incertidumbre, el miedo al futuro, el temor a lo que sucederá mañana. ¿Qué pasará con mi vida y la de mi familia en los próximos años? ¿Qué acontecerá con el mundo? ¿Qué me depara el futuro?

Hoy por hoy, aunque resulte difícil de creer, la incertidumbre se ha convertido en objeto de estudio. Las más recientes investigaciones señalan lo que los científicos han denominado "el circuito del miedo". ¿En qué consiste este descubrimiento? En los Estados Unidos, unos cuarenta voluntarios se sometieron a estudios por resonancia magnética, y allí se descubrió que el cerebro registra la preocupación por el futuro de la misma manera en que registra un acontecimiento negativo real. Cuando nos preocupamos por el futuro, dicen los estudios, activamos "el circuito del miedo", lo que explica por qué este miedo es peor aun que la situación real que tememos.[1] En otras palabras, el miedo eclipsa la felicidad presente. El renombrado autor y conferencista internacional John C. Maxwell lo expresó de manera magistral cuando escribió que el miedo al futuro es "un interés que se paga por una deuda que no tienes".[2]

¿En algún momento has sentido que la incertidumbre destruye tu felicidad? Si respondiste afirmativamente, te invito a que mientras lees este capítulo, mires más allá de tus miedos, para que descubras que existen razones válidas para ver el futuro con fe, valor y optimismo.

El deseo de conocer el futuro

Es natural que nos preguntemos qué encierra el futuro. Sentir particular interés en los acontecimientos de mañana, de la próxima semana, o de lo que ocurrirá dentro de un año está en nuestra naturaleza. Por eso, en su esfuerzo por saber el futuro muchos recuren a practicas oscuras. En la *Enciclopedia de la adivinación,* publicada en Francia, aparecen agrupadas en orden alfabético, nada más y nada menos que ¡230 diferentes maneras de leer el futuro!, desde la adivinación por la dirección del viento (anemoscopía), hasta el augurio por la forma como se sumerge un ave marítima (aitomancia), pasando por la predicción del futuro a través del estudio de una mancha de tinta (tintomancia) y la adivinación por la forma de las sombras (ciomancia).

Todas estas prácticas adivinatorias se inspiran en el deseo ardiente que abrigan los seres humanos de interpretar los enigmas del mañana. Pero la práctica más popular en el campo de la adivinación es la astrología. La astrología es la creencia de que los astros presagian o reflejan el destino de las personas o las naciones. Dicha creencia nació en la antigua Babilonia, donde sus sacerdotes registraban en un mapa el movimiento de los planetas, con el fin de utilizar dicho mapa para predecir los asuntos del Estado.

La astrología pasó de Mesopotamia a Grecia, y allí se popularizó. Luego de invadir al Imperio Romano, se extendió por el mundo entero. Debido al impacto del cristianismo, en los primeros siglos de nuestra era la astrología desapareció casi por completo. Sin embargo, volvió a florecer durante el Renacimiento, cuando se granjeó la simpatía de los príncipes y el favor de las casas reales.

Pero su mayor auge ocurrió en 1900, cuando Evangelina Adams, que vivía en Boston, Massachusetts, comenzó a estudiar la relación entre los movimientos de los astros y el carácter y el destino de los seres humanos. Guiada por los astros, según lo explicó ella misma más adelante, se mudó a Nueva York, donde su fama se esparció como reguero de pólvora. Aprovechando su fama, abrió un consultorio en una oficina de categoría sobre el *Carnegie Hall,* donde grandes celebridades del mundo político y el espectáculo se daban cita.

Según la historia, en 1930, dos años antes de su muerte, la Señora Adams comenzó un programa radiofónico que alcanzó resultados sorprendentes. En los primeros meses, ciento cincuenta mil personas le solicitaron horóscopos, y poco después llegó a recibir un promedio de cuatro mil cartas por día. Posteriormente, el programa fue suspendido. No obstante, la semilla estaba sembrada.

Hoy, se estima que aproximadamente el 26 por ciento de los estadounidenses dice "creer" en la astrología.[3] Una encuesta realizada en 2012 reveló que en los Estados Unidos una de cada tres personas creía que la astrología era "una especie de ciencia", y el diez por ciento dijo que era "una ciencia".

El interés por la astrología se hace evidente cada vez más. Para comprobarlo solo hay que echar un vistazo a las secciones fijas dedicadas a los horóscopos en las principales revistas y periódicos. También se ha convertido en un negocio cuantioso. Cada año se invierten centenares de millones de dólares en consultas astrológicas. De acuerdo con *The New York Times,* la astrología ha venido a ser una "potencia comercial" que genera ganancias cercanas a dos mil cien millones de dólares.

Es importante resaltar que aunque la mayoría ve la astrología como algo normal, Dios condena dicha práctica. La Escritura advierte: "Que nadie de ustedes... practique la adivinación, ni pretenda predecir el futuro, ni se dedique a la hechicería ni a los encantamientos, ni consulte a los adivinos y a los que invocan a los espíritus, ni consulte a los muertos. Porque al Señor le repugnan los que hacen estas cosas" (Deuteronomio 18:10-12, DHH). ¿Por qué Dios la condena? Porque la astrología, en primer lugar, tergiversa el propósito que Dios tenía en mente cuando creó el sol, la luna y las estrellas. En Génesis 1, cuando Dios creó los astros celestes dijo: "Haya lumbreras en la expansión de los cielos para separar el día de la noche; y sirvan de señales para las estaciones, para los días y años" (Génesis 1:14). Note usted que la razón de ser de las estrellas y el sol y la luna *no es* predecir el futuro ni señalar nuestra personalidad sino señalar el paso del tiempo. La segunda razón es que la astrología atribuye a los astros un poder que solo Dios tiene. Las Sagradas Escrituras proclaman sin reservas que solo Dios conoce el futuro, que solo él puede revelar sus secretos, y que solo él puede revelar lo que nos depara el mañana. Mediante su profeta, Dios declara: "He aquí se cumplieron las cosas primeras, y yo anuncio cosas nuevas; antes que salgan a luz, yo os las haré notorias" (Isaías 42:9). Luego vuelve a decir: "[Yo] anuncio lo por venir desde el principio, y desde la antigüedad lo que aún no era hecho; que digo: Mi consejo permanecerá, y haré todo lo que quiero" (Isaías 46:10).

Mirando al futuro con confianza

Puede que te preguntes: *¿Qué evidencias existen que certifiquen que Dios conoce el futuro?* La respuesta se encuentra en las profecías bíblicas. Ellas dan testimonio de que Dios conoce, revela y controla el futuro. En la Biblia encontramos predicciones de acontecimientos que ya sucedieron, pero que la Biblia predijo con siglos de anticipación, y de otros que todavía se encuentran en el futuro. Solo el Antiguo Testamento presenta más de dos mil profecías predictivas que han encontrado su cumplimiento exacto en la historia.

En la antigüedad, para conocer el futuro algunas personas consultaban a los oráculos, es decir, a los sacerdotes o sacerdotisas que transmitían el mensaje del dios al que representaban. Eso fue lo que al parecer hizo Creso, rey de Lidia, antes de enfrentarse a Ciro de Persia. Este rey envió ofrendas muy valiosas al oráculo de Delfos, en Grecia, para averiguar el desenlace de la batalla. El oráculo le dijo que si marchaba contra Ciro, destruiría "un gran imperio". Convencido de que vencería, Creso se enfrentó a Ciro, pero el imperio que destruyó fue el suyo.

La ambigua profecía del oráculo resultó inútil, pues se habría cumplido sin importar quién ganara la batalla. A diferencia de los oráculos antiguos, las profecías bíblicas no tienen vestigio de ambigüedad. No son juegos de palabras cuyo cumplimiento depende de las circunstancias. Las profecías de la Biblia son predicciones certeras que se cumplen al pie de la letra. Contrario a lo predicho por el oráculo de Delfos, la Biblia contiene una profecía sobre Ciro, rey de Persia, dada al profeta Isaías con unos doscientos años de antelación. El profeta Isaías mencionó su nombre, y describió cómo conquistaría la poderosa ciudad de Babilonia. "Yo le digo a Ciro: Tú eres mi pastor, tú harás todo lo que yo quiero; y le digo a Jerusalén: Tú serás reconstruida; y al templo: Se pondrán tus cimientos" (Isaías 44:28, DHH). "El Señor consagró a Ciro como rey, lo tomó de la mano para que dominara las naciones y desarmara a los reyes. El Señor hace que delante de Ciro se abran las puertas de las ciudades sin que nadie pueda cerrárselas" (Isaías 45:1).

Esta profecía se cumplió de manera exacta. Según el historiador griego Heródoto, el ejército de Ciro desvió el río Éufrates, que atravesaba la ciudad de Babilonia. Gracias a esta estrategia, las tropas de Ciro pudieron entrar en la ciudad caminando por el lecho del río, y de nada sirvieron las puertas de Babilonia. Tras la conquista, Ciro liberó a los judíos que estaban cautivos en Babilonia y les permitió regresar a Jerusalén y reconstruir la ciudad que había sido destruida hacía setenta años.

Esta sorprendente profecía es solo una de las muchas que encontramos en la Biblia, y que se han cumplido con exactitud. Otra sorprendente profecía fue la que recibió Daniel unos quinientos años antes del nacimiento de Jesús. De acuerdo con el registro bíblico, Dios dio a Nabucodonosor, el rey de Babilonia, una visión donde se presentaban, a grandes rasgos, los grandes imperios que gobernarían el mundo. En el segundo capítulo del libro de Daniel leemos que una noche antes de dormirse, el rey Nabucodonosor meditaba en las cosas que habrían de "ser en lo por venir" (Daniel 2:29).

Mientras el rey dormía, Dios satisfizo los deseos de su corazón haciendo pasar delante de él una visión de los reinos del mundo. Pero al despertar, el rey no pudo recordar su sueño. Esto le produjo una gran ansiedad. Con urgencia, llamó a los adivinos de su reino para que le dijesen lo que había soñado y su significado. Ninguno de los sabios pudo decir el sueño y mucho menos su interpretación, de modo que el rey Nabucodonosor "con ira y con gran enojo mandó que matasen a todos los sabios de Babilonia" (vers. 12).

Daniel y sus tres compañeros, Ananías, Misael y Azarías, que habían sido llevados cautivos de Jerusalén a Babilonia como esclavos para servir en la corte del rey Nabucodonosor, se encontraban incluidos en el decreto de muerte. Cuando Daniel se enteró del edicto, fue inmediatamente y le pidió al monarca que le diese tiempo y él le mostraría el sueño y su significado. El rey, deseoso de averiguar el asunto, consintió. Así que Daniel regresó a su hogar y comunicó el asunto a sus compañeros, y juntos buscaron fervientemente a Dios en oración. Dios contestó sus oraciones mostrándole a Daniel el mismo sueño que el rey había tenido, y dándole el significado. Acto seguido, Daniel se presentó ante el rey y le dio el siguiente informe: "El misterio que el rey demanda, ni sabios, ni astrólogos, ni magos ni adivinos lo pueden revelar al rey. *Pero hay un Dios en los cielos*, el cual revela los misterios, y él ha hecho saber al rey Nabucodonosor lo que ha de acontecer en los postreros días. He aquí tu sueño, y las visiones que has tenido en tu cama" (Daniel 2:27, 28; énfasis agregado).

Entonces Daniel procedió a describirle al rey el sueño olvidado:

Tú, oh rey, veías, y he aquí una gran imagen. Esta imagen, que era muy grande, y cuya gloria era muy sublime, estaba en pie delante de ti, y su aspecto era terrible. La cabeza de esta imagen era de oro fino; su pecho y sus brazos, de plata; su vientre y sus muslos, de bronce; sus piernas, de hierro; sus pies, en parte de hierro y en parte de barro cocido. Estabas mirando, hasta que una piedra fue cortada, no con mano, e hirió a la imagen en sus pies de hierro y de barro cocido, y los desmenuzó. Entonces fueron desmenuzados también el hierro, el barro cocido, el bronce, la plata y el oro, y fueron como tamo de las eras del verano, y se los llevó el viento sin que de ellos quedara rastro alguno. Mas la piedra que hirió a la imagen fue hecha un gran monte que llenó toda la tierra (Daniel 2:31-35).

Luego de esto, Daniel le mostró al rey la interpretación:

Este es el sueño; también la interpretación de él diremos en presencia del rey. Tú, oh rey, eres rey de reyes; porque el Dios del cielo te ha dado reino, poder, fuerza y majestad. Y dondequiera que habitan hijos de hombres, bestias del campo y aves del cielo, él los ha entregado en tu mano, y te ha dado dominio sobre todo; tú eres aquella cabeza de oro. Y después de ti se levantará otro reino inferior al tuyo; y luego un tercer reino de bronce, el cual dominará sobre toda la tierra. Y el cuarto reino será fuerte como hierro; y como el hierro desmenuza y rompe todas las cosas, desmenuzará y quebrantará todo. Y lo que viste de los pies y los dedos, en parte de barro cocido de alfarero y en parte de hierro, será un reino dividido; mas habrá en él algo de la fuerza del hierro, así como viste hierro mezclado con barro cocido. Y por ser los dedos de los pies en parte de hierro y en parte de barro cocido, el reino será en parte fuerte, y en parte frágil. Así como viste el hierro mezclado con barro, se mezclarán por medio de alianzas humanas; pero no se unirán el uno con el otro, como el hierro no se mezcla con el barro. Y en los días de estos reyes el Dios del cielo levantará un reino que no será jamás destruido, ni será el reino dejado a otro pueblo; desmenuzará y consumirá a todos estos reinos, pero él permanecerá para siempre (Daniel 2:36-44).

En el tiempo de Daniel, la orgullosa Babilonia era la señora del mundo. Estaba perfectamente representada por la cabeza de oro, porque era el reino dorado de una edad de oro. Pero este reino no habría de continuar para siempre, tal como Daniel profetizó: "Después de ti se levantará otro reino inferior al tuyo" (vers. 39). La historia da testimonio del cumplimiento de las palabras de Daniel: Babilonia gobernó al mundo desde el 606 hasta el 538 a.C., fecha en que fue conquistada por lo medos y los persas bajo el comando de Ciro, el rey del que Isaías había profetizado. Y así como la plata es inferior al oro, Medopersia fue inferior a Babilonia en grandeza. Luego el profeta mencionó "un tercer reino de bronce, el cual dominará sobre toda la tierra" (vers. 39). Darío III, el ultimo gobernante del Imperio Medo-Persa, fue derrotado por su formidable enemigo, Alejandro el Grande, en el año 331 a.C. en la batalla de Arbelas. El reino de Grecia, bajo el liderazgo de Alejandro y sus sucesores, gobernó al mundo desde el 331 hasta el 168 a.C.

Hubo un cuarto reino representado por las piernas de hierro. "Y el cuarto reino será fuerte como hierro; y como el hierro desmenuza y rompe todas las cosas, desmenuzará y quebrantará todo" (vers. 40). En la batalla de Pidna, en 160 a.C., Roma destruyó el poder que les quedaba a los griegos, y llegó a ser el nuevo imperio mundial. Durante más de cuatrocientos años gobernó al mundo con mano de hierro. Pasado el tiempo, Roma se dividió, formando así las naciones modernas de la Europa occidental. Las palabras "no se unirán el uno con el otro" (vers. 43) indican que no habría otro imperio universal en el mundo actual. Muchos han intentado establecer otro imperio mundial, pero han fracasado. Carlomagno, Carlos V, Luis XIV, Napoleón Bonaparte y Adolfo Hitler, por dar algunos ejemplos, todos quisieron unir los fragmentos del Imperio Romano, pero cada uno fracasó.

Cuenta Frank L. Peterson que Guillermo, Kaiser de Alemania, quiso romper esta cadena profética estableciendo otro imperio mundial, pero también fracasó. Se dice que en cierta ocasión dijo: "Desde mi infancia he estado bajo la influencia de cinco hombres: Alejandro, Julio César, Teodorico, Federico el Grande y Napoleón. Cada uno de estos hombres tuvo el sueño de establecer un imperio mundial, pero fracasaron. Yo alimento el sueño del imperio mundial alemán, y mi puño prevalecerá". En otra ocasión les dijo a sus tropas: "Si ganamos, se levantará un gran imperio, el más espléndido que el mundo haya visto jamás, un nuevo Imperio Romano Germánico que gobernará al mundo, y el mundo será feliz".

Peterson termina la historia diciendo: "Más de quinientos años antes del nacimiento de Jesús, Dios había dicho que algo como lo que el Kaiser se empeñaba en realizar nunca podría lograrse. La expresión, "no se unirán el uno con el otro", son palabras de la inspiración, que zanjan esta cuestión de una vez y para siempre. Nunca existirán los Estados Unidos de Europa o un poder nacional que unirá y gobernará al mundo entero".[5] De más está decir que el Kaiser no logró su cometido, fracasó, así como todos los otros que lo intentaron.

Sin embargo, la profecía señala otro poder que gobernará al mundo. "Y en los días de estos reyes el Dios del cielo levantará un reino que no será jamás destruido, ni será el reino dejado a otro pueblo; desmenuzará y consumirá a todos estos reinos, pero él permanecerá para siempre" (Daniel 2:44). Este será el reino de nuestro Señor y Salvador Jesucristo. Este no será temporal ni efímero, porque tal como dice la profecía, durará para siempre.

Como hemos podido ver, solo Dios conoce a ciencia cierta el futuro. Las profecías de la Biblia tienen como objetivo crear en nosotros la misma convicción que tenía el niño que cierta vez fue examinado por Federico el Grande. Se cuenta que Federico el Grande visitó una escuela pública en Brandemburgo. Era el momento de la clase de geografía, así que el emperador pregunto a un niño:

—¿Dónde está situada Brandemburgo?

—En Prusia —respondió el alumno.

—¿Y dónde está Prusia? —preguntó de nuevo el emperador.

—En Alemania —replicó el niño sin vacilación.

—¿Y Alemania?

—En Europa.

—¿Y Europa?

—En el mundo.

—¿Y el mundo? —Fue la última pregunta del emperador.

Después de un momento de reflexión, el joven alumno respondió:

—El mundo, su majestad, está en las manos de Dios.

Así es, amigo. No tenemos nada que temer. El destino del mundo, y también tu destino y el mío, no están a merced de la posición de los astros sino bajo la soberana voluntad de Aquel que conoce el fin desde el principio. De aquel que "revela las cosas profundas y secretas; conoce lo que está en la oscuridad, pues la luz está con él" (Daniel 2:22, DHH).

La más hermosa de todas las profecías

Dios sabía que a causa de nuestra fragilidad, al fin y al cabo, la inseguridad y la incertidumbre acabarían acosando nuestra existencia. Por eso él mismo nos dejó una de las profecías más hermosas en ocasión de la Última Cena: "No se turbe vuestro corazón; creéis en Dios, creed también en mí. En la casa de mi Padre muchas moradas hay; si así no fuera, yo os lo hubiera dicho; voy, pues, a preparar lugar para vosotros. Y si me fuere y os preparare lugar, vendré otra vez, y os tomaré a mí mismo, para que donde yo estoy, vosotros también estéis" (S. Juan 14:1-3).

Jesús dijo que no hay razón para vivir angustiados y preocupados por el futuro, pues tenemos la promesa de su segundo advenimiento. Esta promesa es central en las Sagradas Escrituras. Según los estudiosos, la promesa del segundo advenimiento de Cristo se repite más de 1,800 veces en el Antiguo Testamento. En los 260 capítulos que componen el Nuevo Testamento, la profecía del segundo advenimiento aparece 318 veces; esto es, en promedio, una vez cada treinta versículos. Por otra parte, la misma profecía aparece en 23 de los 27 libros del Nuevo Testamento. Y como si fuera poco, por cada profecía que habla de la primera venida de Cristo, hay ocho que aluden a su segundo advenimiento.[6]

El tema del segundo advenimiento de Jesucristo es tan importante que Pablo lo denominó "nuestra bendita esperanza" (Tito 2:13). ¡Mira qué importante es tener esperanza! El doctor Emil Bruner escribió: "Lo que el oxígeno es para los pulmones, es la esperanza para dar significado a la vida humana. Eliminemos el oxígeno y se producirá la muerte por asfixia. Eliminemos la esperanza y la humanidad se verá angustiada, sofocada; sobrevendrá la desesperación, que paralizará las facultades intelectuales y espirituales debido al vacío que se produce y a la falta de propósito en la existencia. Así como la vida del organismo depende de una constante provisión de oxígeno, de la misma forma, la existencia humana depende de la esperanza que acaricia".[7]

No sé tú, pero yo me siento afortunado y agradecido con Dios por la esperanza que me ha dejado en su Palabra. La Biblia declara que con el retorno de Jesús se pondrá fin al dolor, a la angustia, a la muerte, a la desesperación, a la pobreza y al temor. Con su advenimiento se abrirá un nuevo capítulo, donde viviremos para siempre con nuestro Dios.

A fin de mantener nuestra esperanza y protegernos de cualquier engaño, las Escrituras presentan de manera concisa y clara la forma como vendrá el Señor en su segundo advenimiento. La Biblia señala cuatro características esenciales del segundo advenimiento.

- *Personal.* Dios quiere que comprendas que Aquel que va a venir en gloria es el mismo Salvador que recorrió los caminos de Galilea. En Hechos 1:11, cuando Jesús ascendió a los cielos, dos ángeles se pusieron al lado de los discípulos y les dijeron: "Varones galileos, ¿por qué estáis mirando al cielo? Este mismo Jesús, que ha sido tomado de vosotros al cielo, así vendrá como le habéis visto ir al cielo". El mismo Jesús que nació en Belén y que vivió entre nosotros para mostrarnos el amor de Dios, el mismo Jesús que murió por nosotros en una infame cruz, resucitó y ascendió al cielo, volverá para poner fin al dolor, la muerte y el sufrimiento.

- *Visible.* El último libro de la Biblia, el Apocalipsis, nos dice: "He aquí que viene con las nubes, y todo ojo le verá, y los que le traspasaron; y todos los linajes de la tierra harán lamentación por él. Sí, amén" (Apocalipsis 1:7). Lo verán los ojos en los que resplandece el amor y la ternura, y también aquellos que irradian odio y venganza. En fin, todos lo verán. Aquellos que lo esperan con amor, y aquellos que se perderán para siempre.

- *Audible.* "Porque el Señor mismo con voz de mando, con voz de arcángel y con trompeta de Dios, descenderá del cielo" (1 Tesalonicenses 4:16). En aquel día los cielos se abrirán, la tierra se agitará, la trompeta de Dios sonará, y una gloria deslumbrante, jamás vista por los hombres, irrumpirá sobre el mundo.

- *Gloriosa.* Al registrar las palabras proféticas de Jesús, San Lucas, el historiador inspirado, escribió: "Entonces verán al Hijo del Hombre, que vendrá en una nube con poder y gran gloria" (S. Lucas 21:27).

Esta es nuestra esperanza respecto al futuro: un día veremos a Jesús descender en gloria y majestad. Por lo tanto, no hay nada que temer. Pero la Biblia no solo nos dice cómo vendrá Jesús, sino también cómo podemos prepararnos para recibirlo. Para estar listos debemos: (1) Aceptar a Cristo como nuestro Salvador (Hechos 16:30, 31). (2) Arrepentirnos de nuestros pecados y confesarlos al Señor (Hechos 2:39; 1 Juan 1:9). (3) Obedecer por medio del poder divino los grandes principios del evangelio (S. Mateo 7:16-21).

Hace algún tiempo me invitaron a predicar en una serie de reuniones de evangelización en un país europeo. Como es mi costumbre, antes de iniciar cada serie de conferencias me comunico con los dirigentes de la congregación, especialmente con el pastor, para discutir algunos asuntos en relación con el programa. Recuerdo que cuando me entrevisté con el pastor, me dijo que en aquel lugar las personas eran muy poco receptivas al evangelio. Me argumentó que el secularismo en aquella parte de Europa se había extendido mucho y que no me sintiera mal si la respuesta del publico era mínima en relación con el mensaje. Comprendí que estaba ante un gran desafío, así que oré a Dios y comencé a preparar los temas. Al principio, pensaba presentar conferencias relacionadas con la salud emocional. Entendía que para un público así, era mejor abordar temas generales. Sin embargo, mientras pasaba el tiempo sentí la impresión de que debía predicar mensajes bíblicos, que debía presentar las verdades distintivas de la salvación, el segundo advenimiento de Cristo, el juicio y otros temas centrales de la Biblia. Así que cambié los mensajes y decidí presentar una serie sobre las doctrinas distintivas de las Escrituras.

Cada noche traducían los sermones al italiano, lo que representaba un desafío adicional en relación con el tiempo y la dinámica de los temas. Al comienzo, la asistencia era muy buena. Al terminar la primera reunión las personas estaban muy emocionadas. Esa noche tuve el deseo de hacer un llamado para que las personas pasaran al frente, pero, me habían dicho que me limitara solo a predicar y que no llamara a las personas a pasar al frente.

La tercera noche hablé sobre el segundo advenimiento de Cristo. El salón estaba repleto. La respuesta del público fue muy favorable. Al frente estaba sentada una joven que enjugaba sus lágrimas mientras yo decía que podemos vivir sin temor al futuro, pues tenemos la esperanza del retorno de Jesús. Al terminar mi mensaje, dije: "Se me ha dicho que me limite solo a presentar las conferencias, que no procure invitar a las personas a pasar al frente, ya que esto puede ser interpretado como una especie de sujeción psicológica; pero, permíteme decirte que Jesús desea darte esperanza respecto al futuro. Puede que tu mente racionalista luche con esta verdad, pero en lo profundo quizá sientes miedo al futuro, y no sabes qué hacer. Permíteme decirte que puedes encontrar seguridad en Jesús. Si deseas, ven y acepta la esperanza que el Señor te ofrece".

En seguida, decenas de personas se levantaron y pasaron al frente. Algunos vinieron acompañados por sus familiares, otros enjugaban sus lágrimas mientras caminaban. Al finalizar, la joven que estaba al frente se me acercó y me dijo: "Pastor, durante años he vivido en la incertidumbre. Pero hoy entiendo que puedo vivir con esperanza".

Puede que tú, amigo lector, hayas sido víctima de la incertidumbre durante años. Tal vez sientes que el futuro se torna cada vez más negro para ti, pero mientras lees estas líneas te insto a que recuerdes que tu futuro se halla escrito en el cielo, no en los astros, sino en la mente de Aquel que los creó: el Jesús amante que quiero que conozcas. Hoy te invito a levantar la cabeza y mirar el mañana con optimismo, pues aquellos que confían en las profecías bíblicas y aguardan el retorno de Jesucristo no temen a lo que pueda sobrevenir.

1. Francis Miralles, "Miedo al futuro", *El País*, 04 abril 2009, en https://elpais.com/diario/2009/04/05/eps/1238912811_850215.html.

2. John C. Maxwell, "9 ways to overcome fear", 20 junio 2014, en https://www.johnmaxwell.com/blog/9-ways-to-overcome-fear/.

3. Erin Griffith, "Venture Capital is Putting Its Money Into Astrology", *The New York Times*, 15 abril 2019, en https://www.nytimes.com/2019/04/15/style/astrology-apps-venture-capital.html.

4. *Ibíd.*

5. Frank L. Peterson, *El camino de la esperanza* (Doral, Florida: Asociación Publicadora Interamericana, 1998), p. 43.

6. P. L. Tan, *Encyclopedia of 7700 Illustrations: Signs of the Times* (Garland, Texas: Bible Communications, Inc, 1996), p. 1239.

7. Citado por Enoch de Oliveira, *Año 2000 ¿Angustia o esperanza?* (Coral Gables, Florida: Asociación Publicadora Interamericana, 1992), p. 181

Preguntas para reflexionar

1. ¿Qué dice Dios sobre la astrología?

2. ¿Qué evidencia testifica que solo Dios conoce el futuro?

3. ¿En qué consiste la profecía registrada en el capítulo 2 del libro de Daniel?

4. Ante la incertidumbre, ¿qué promesa hizo Jesús?

5. ¿Cuáles son las cuatro principales características del retorno de Jesús? Y, ¿cómo podemos estar preparados para este glorioso acontecimiento?

Capítulo 6

Sin temor a la soledad

La autofobia, también conocida como isolofobia o eremofobia, es un fenómeno psicológico que se caracteriza por el miedo intenso y desproporcionado a estar solo. Se trata de un temor excesivo e irracional a la soledad que puede, tal como dijo Warren W. Wiersbe, "levantar un muro a nuestro alrededor sin importar cuán libres seamos".[1]

El psiquiatra suizo Paul Tourner catalogó la soledad como "la dolencia más devastadora de esta época". Billy Graham comentó que la soledad es el mayor problema del ser humano, y Teresa de Calcuta dijo que es más fácil llenar un estómago hambriento que un corazón vacío. Aunque sea difícil creerlo, muchas personas en nuestra sociedad luchan contra la soledad. Habla con un padre o una madre cuyos brazos todavía sienten el dolor de un hijo muerto. Conversa con alguien que acaba de terminar una relación amorosa. Observa a la familia que se acaba de mudar a otra ciudad. Pídeles que te cuenten, y verás cuán solos se sienten.

Quizá tú seas una de esas personas. Es posible que físicamente no estés solo, pero tienes la sensación constante de que los demás te ignoran, de que no te aman, o de estar incomunicado. Te sientes, como dice una canción popular, "solo en medio de la multitud".

Diferencia entre "estar solo" y la "soledad"

La soledad se puede describir más fácilmente de lo que se puede definir. Es una "sensación de vacío en el fondo del vientre que experimentamos cuando alguien a quien amamos nos abandona o cuando creemos que no le importamos a nadie".[2] Es fundamental entender el hecho de que estar solos es diferente a la soledad. Casi todas las personas disfrutan de alguno que otro período de "estar solo". La

Sin temor a la soledad

Biblia muestra que Jesucristo a veces buscaba un "lugar solitario" para orar o descansar un poco con sus discípulos (ver S. Mateo 14:13; S. Marcos 1:35; 6:31). Algunas personas pasan gran parte de su tiempo solos, pero no se sienten solitarios. El erudito, absorto en su labor de investigación, podrá estar solo, pero no se siente solo. El pintor que crea una obra de arte, aunque esté a solas, no tiene oportunidad de sentirse solo.

Estar solo es un estado físico que puede ser voluntario o circunstancial; sentirse solo es un estado emocional en el que la persona se siente desconectada, aislada, separada o sin una relación significativa con otra persona.

El confinamiento obligatorio impuesto a casi toda la humanidad durante la pandemia por el COVID-19 tuvo un lado negativo y otro positivo. Por una parte, la crisis económica que disparó la cuarentena no ha tenido antecedente en la historia de nuestra civilización. Pero, por otra parte, miles de millones de personas, y aun la propia Tierra, fueron bendecidas con ese descanso "obligatorio" que impuso un simple virus. La pandemia detuvo la frenética e incontrolable marcha del mundo y nos puso a pensar y a buscar a Dios de un modo más serio y responsable. Estar a solas con uno mismo y con nuestra familia durante tanto tiempo fue, para muchos de nosotros, la oportunidad que el Cielo nos dio para conocer a Jesús y comprender el sentido de sus sufrimientos en la redención del mundo. Por lo tanto, estar a solas puede ser muy positivo para nuestras vidas. Las Escrituras nos recomiendan que apartemos un tiempo para estar a solas con nuestros pensamientos, a solas con nuestras oraciones, a solas y en silencio. Por el contrario, la soledad generalmente es una experiencia negativa que en la mayoría de los casos va acompañada de un sentimiento de desesperanza.

Cualquiera puede experimentar la soledad en algún momento determinado. A causa de que fuimos creados por Dios para relacionarnos con él y con los demás, somos vulnerables al rechazo o a la pérdida de un ser querido o una relación. Experimentamos la soledad como resultado de una experiencia entristecedora: la muerte del cónyuge, el divorcio, una enfermedad incurable, alguna discapacidad, el fracaso, el desempleo o alguna tragedia. Cuando pasamos por alguna de estas experiencias, necesitamos una mano ayudadora, alguien en quien podamos apoyarnos, alguien en quien confiar.

Una epidemia de soledad

La soledad se está convirtiendo en un problema cada vez mayor. Incluso se habla de que en nuestros días existe una "epidemia de soledad". Después de encuestar a más de veinte mil personas mayores de 18 años, residentes de los Estados Unidos, la firma de investigación Cigna, concluyó que "más de la mitad de los adultos estadounidenses afirmó que nadie los conoce realmente, y un 46 por ciento dijo que en más de un momento de su vida se han sentido profundamente solos". Por otra parte, el estudio reveló que "uno de cada cuatro encuestados raramente o nunca siente que está rodeado de gente que verdaderamente lo conoce; dos de cada cinco creen que sus relaciones no son importantes y que están aislados del resto; y uno de cada cinco dice que casi nunca se siente cercano a la gente. Incluso seis de cada diez sienten que sus intereses e ideas no son compartidos por quienes los rodean". Pero, el problema no se detiene allí, ya que el estudio también reveló que la generación que se define como la "'más solitaria', con el índice más alto de soledad, es la que tiene entre 18 y 22 años".[3]

Puede que te resulte difícil imaginar que exista una "epidemia de soledad" en la época en que precisamente más conectados estamos. Prácticamente ya no hay impedimentos para la comunicación con otras personas. Gracias a la Internet y a las redes sociales, nuestros seres queridos y amigos están siempre cerca. Todos hemos experimentado esto a un grado u otro en la reciente cuarentena por el coronavirus. Las reuniones y las fiestas virtuales, y aun los cultos de la iglesia, fueron algo que ni siquiera imaginábamos, pero ahora nos son ampliamente conocidos y aceptados. Sin embargo, aunque los avances tecnológicos hayan eliminado las distancias, esta cercanía no ha resuelto el problema de la soledad, ya que las redes no garantizan una conexión o una interacción real.

Hal Niedzvieck, escritor del *New York Times*, experimentó de primera mano esta cruda realidad. Durante el verano de 2008, Niedzvieck decidió explorar el mundo de las redes sociales, especialmente *Facebook*. Para eso abrió una cuenta. Rápidamente agregó amigos: gente que había conocido a través de los años, parientes, amigos de amigos e incluso algunos conocidos circunstanciales. Pronto quedó asombrado al descubrir que tenía 700 amigos en línea.

Sin embargo, se preguntaba cómo se asemejaban los amigos de *Facebook* a los amigos tradicionales. En su ingenio, decidió hacer una prueba. Planificó una fiesta de *Facebook* para convertir a sus conocidos digitales en verdaderos amigos en la carne. Niedzvieck invitó a todos sus 700 amigos a un establecimiento local para una fiesta. La gente podía responder que "asistiría", que "tal vez asistiría" o que "no asistiría". Siguió las primeras respuestas con sumo interés. Quince dijeron que llegarían. Otras setenta le dijeron que tal vez, algunos dijeron que no, y otros no respondieron. Procesó los números y determinó que podía esperar razonablemente que llegaran veinte amigos.

Niedzvieck estaba emocionado con la reunión. Se duchó y se afeitó, se echó un poco de perfume y se vistió bien, listo para causar una buena impresión y conocer a su público de *Facebook*. Se sentía como en una primera cita. Entró en el establecimiento, buscó un asiento y esperó.

Luego esperó un poco más.

Después de algún tiempo, saludó a su primer asistente, una dama agradable que era amiga de un amigo. Tuvieron una corta e incómoda conversación, y después de un rato se fue. Niedzvieck se quedó sentado hasta la medianoche, preguntándose dónde estaban las setecientas personas.

"Setecientos amigos —escribió—, y estuve sentado solo".[4]

La experiencia de Hal Niedzvieck resume, tal como dijera el escritor David Jeremiah, lo que muchos estamos comenzando a sentir: "Hemos inventado muchas maneras nuevas de conectarnos con los demás, pero nos sentimos más solos que nunca. Es paradójico, pero nuestro mundo está lleno de muchedumbres bulliciosas de gente solitaria".[5]

Los peligros de la soledad

La soledad puede ser sumamente peligrosa, ya que puede arruinar la vida tanto de jóvenes como de ancianos. La escritora Judith Viorst dice que "la soledad es como una losa en el corazón... La soledad nos deja vacíos y desesperados. La soledad nos hace sentir como un hijo huérfano, como la oveja descarriada, tan pequeños y perdidos en un mundo tan grande y poco compasivo".[6]

La soledad afecta de manera directa el bienestar físico. Los estudios han descubierto que la soledad es una enfermedad más dañina que la obesidad, y tan perjudicial como fumar quince cigarrillos diarios.[7] Por otro lado, un sinnúmero de males que requieren atención médica se han atribuido a la soledad: alteraciones gástricas, ataques asmáticos, erupciones cutáneas y otros. En el libro *The Broken Heart: The Medical Consequences of Loneliness* [El corazón destrozado: Las consecuencias médicas de la soledad], el autor James J. Lynch presenta datos que muestran que los individuos solteros o divorciados, personas que frecuentemente viven solas, tienen vidas más cortas y sufren un mayor número de enfermedades cardíacas. Al final, dice con toda franqueza: "El compañerismo humano es, de modo muy literal, una forma importante de seguro de vida".

La soledad puede llevar a los excesos. En sus esfuerzos por evitar la soledad, las víctimas de esta han recurrido al alcoholismo, a la glotonería, al abuso de sustancias, y a la promiscuidad sexual.

La soledad roba el deseo de vivir. Un artículo de *Psychology Today* [Psicología hoy] dijo que el aislamiento era un "asesino poderoso". A continuación, decía que "se ha demostrado que [el aislamiento] es un agente central en la etiología de la depresión, la paranoia, la esquizofrenia, la violencia, el suicidio, el asesinato en masa y una amplia variedad de enfermedades".[8] Cuando la soledad alcanza su peor momento, puede incluso llevar al suicidio. Varios estudios han relacionado el aumento dramático en los suicidios, especialmente entre los adolescentes, con la generalización de la soledad. Un estudio informó: "Si hay un solo tema sobre el cual versan los relatos de los suicidios, es el de estar aislados de la familia, de los amigos, de toda persona que pudiera servir de ancla y sujetarlos a la realidad o que simplemente escuchara atentamente".

La soledad se puede remediar… pero, ¿cómo?

El tema de la soledad se repite a través de las Sagradas Escrituras. De acuerdo con los estudiosos, la palabra "solo" aparece unas 118 veces, pero en pocas ocasiones es sinónimo de "soledad". De hecho, es importante destacar que el sustantivo "soledad" no adquirió su significado actual sino hasta el presente siglo, y no apareció en ningún diccionario importante hasta después de la Segunda Guerra Mundial. En otras palabras, la soledad adquirió muy recientemente su significado de estado mental.

Cuando estudiamos la Biblia, notamos que lo primero que se nos dice es que nunca ha sido el plan ni la voluntad de Dios que los seres humanos vivan en aislamiento. Después de que Dios creara el mundo en siete días, las Escrituras nos dicen que el Señor vio que todo lo que había hecho era "bueno en gran manera" (Génesis 1:31). Sin embargo, hubo solo una cosa que Dios no denominó como buena. "Y dijo Jehová Dios: No es bueno que el hombre esté solo; le haré ayuda idónea para él" (Génesis 2:18). Si notamos el relato de Génesis 1, nos daremos cuenta de que los animales fueron creados en grupos. Dios hizo las "aves" (Génesis 1:20), los "peces" (vers. 26) y los "animales" (vers. 25), pero, el ser humano fue creado como un individuo solitario (vers. 27). Sin embargo, no era el propósito de Dios que viviera solo por mucho tiempo. A causa de que Dios sabía que la soledad sería perjudicial para el ser humano, Dios decidió darle una compañera que sería su "ayuda idónea". Así que la Biblia nos dice que Dios creó a la mujer de la costilla del hombre (Génesis 2:22). Adán tenía ahora su ayuda idónea. Entonces, Dios los bendijo y les dio una orden: "Tengan muchos, muchos hijos; llenen el mundo y gobiérnenlo" (Génesis 1:28, DHH).

Como hemos podido notar, la soledad no formaba parte del plan original de Dios para el ser humano, ya que fuimos creados para gozar del compañerismo con Dios y con nuestros semejantes. Pero el pecado desvirtuó el plan original. Todos los males que nos afectan, incluyendo el aislamiento y el sentido de soledad, vinieron como nefasta consecuencia del pecado. Los seres humanos, que nunca habrían de sentirse solos, se han distanciado tanto de Dios como de sus semejantes.

Por consiguiente, cuando hablamos de soledad, hemos de entender que esta nos afecta en dos áreas fundamentales. Primero, *espiritualmente*. El primer nivel de soledad que las personas experimentan es la *soledad espiritual*. Como ya hemos comentado, Dios nos creó para tener compañerismo con él. Lamentablemente, muchos viven vidas alejadas de Dios y se convierten en solitarios espirituales. Esta es la razón por la que, aunque viven rodeados de personas y tienen todo lo que anhelan, se sienten solos. No han entendido que no importa cuánto dinero puedan amontonar ni cuántas propiedades puedan juntar, nada llenará ese vacío en sus vidas. La soledad espiritual solo puede satisfacerse mediante una relación personal con Dios.

Cuando establecemos una relación con Dios, podremos estar a solas, pero nunca nos sentiremos solos. Un ejemplo de esto lo podemos ver en la historia de José. Siendo apenas un joven de unos diecisiete años, sus hermanos lo vendieron como esclavo. Lo alejaron de la casa de su padre y de todos sus conocidos. Lo enviaron a un país extraño donde no conocía a nadie, tampoco sabía el idioma ni las costumbres; fue comprado para trabajar como esclavo en la casa de un oficial del gobierno. Allí se encontraba José, solo, humanamente hablando. Sin embargo, la Biblia nos dice que: "Jehová estaba con José, y fue varón próspero" (Génesis 39:2). En una tierra lejana, separado de sus seres queridos, José disfrutó de la hermosa presencia del Señor. ¡Aunque estuvo solo, nunca se sintió solo!

De igual manera, nuestro Señor y Salvador Jesucristo, en los días finales de su vida terrenal, fue abandonado por sus discípulos. Al igual que José, fue vendido por el precio de un esclavo. Casi todos los que un día lo habían seguido lo abandonaron. En cierta ocasión Jesús dijo: "He aquí la hora viene, y ha venido ya, en que seréis esparcidos cada uno por su lado, y me dejaréis solo". ¡Qué devastador! Pero, pudo decir: "Pero no estoy solo, porque el Padre está conmigo" (S. Juan 16:32). ¡Aunque estuvo solo, Jesús nunca se sintió solo!

El apóstol Pablo también estuvo solo en un momento de gran necesidad: "En mi primera defensa ninguno estuvo a mi lado, sino que todos me desampararon" (2 Timoteo 4:16). ¡Qué difícil debió haber sido esa experiencia para este campeón de la verdad! El que había fundado tantas iglesias, que había predicado a miles de personas y por quien muchos habían llegado al conocimiento de la verdad, en un momento de necesidad se vio solo. Sin embargo, pudo escribir: "Pero el Señor estuvo a mi lado, y me dio fuerzas" (vers. 17). ¡Pablo, aunque estuvo solo, nunca se sintió solo!

Sin temor a la soledad

Al igual que José, Jesús y Pablo, tú puedes establecer una relación especial con Dios. Puedes vivir y caminar cada día en su presencia. Si estableces una relación con Dios, disfrutarás de su presencia de tal manera que, aunque en alguna circunstancia te encuentres solo, nunca te sentirás solo.

En segundo lugar, la soledad tiene que ver con las *relaciones humanas*. A esto denominamos *soledad relacional*. Aunque Adán tenía, en el principio, una relación perfecta con Dios, sintió la necesidad de compañía humana. Dios no negó la necesidad que Adán tenía, ni trató de minimizarla, sino que creó a alguien que satisfaría dicha necesidad. De igual manera, Dios entiende que como seres humanos necesitamos compañerismo. La soledad es una señal de advertencia: así como el hambre te advierte que necesitas alimento; la soledad te advierte que necesitas compañerismo.

La soledad relacional solo puede curarse cuando desarrollamos relaciones de compañerismo con otros. Ahora bien, ¿existe un lugar donde podamos desarrollar relaciones sanas de compañerismo? ¡Claro que sí! En la familia, en el trabajo, en la escuela, en grupos de apoyo, pero especialmente en la iglesia.

La iglesia es un lugar donde las personas pueden disfrutar de especial compañerismo. Debo aclarar que cuando la Biblia habla de la iglesia, no se refiere a un edificio sino al grupo de creyentes que han sido salvos por medio de la gracia de Jesucristo (ver 1 Pedro 2:9). Cuando estudiamos el tema de la iglesia en el Nuevo Testamento, advertimos que se trata de una comunidad de cristianos que "se cuidan unos a otros, se aman unos a otros, se hospedan unos a otros, se reciben unos a otros, se sirven unos a otros, se instruyen unos a otros, se perdonan unos a otros, se alimenta unos a otros, se consuelan unos a otros, se motivan unos a otros, se afianzan unos a otros, se alientan unos a otros; oran unos por otros, se estiman unos a otros, se edifican unos a otros, se enseñan unos a otros, son amables unos con otros, son generosos unos con otros, se regocijan unos con otros, lloran unos con otros, sufren unos con otros y se restauran unos a otros".[9]

Este compañerismo que provee la iglesia fomenta significativamente la salud emocional. ¿Sabías que las personas que asisten con frecuencia a la iglesia sufren menos de depresión? Una investigación reciente vincula la asistencia frecuente a la iglesia con índices más bajos de depresión, entre otros beneficios para la salud. Después de estudiar la vida de más de seis mil adultos de cincuenta años en Irlanda, se descubrió que las personas que asisten a servicios religiosos con regularidad tienen menos síntomas de depresión que aquellos que no asisten.[10]

Cuando formas parte de una iglesia, disfrutas del compañerismo de personas que al igual que tú tienen luchas, pero que, mediante la gracia de Dios y la amistad con otros creyentes, han podido salir airosos. Cuando te unes a una iglesia, te conviertes en parte del cuerpo de Cristo que está llamado a servir al mundo. Cuando eres parte de una iglesia, disfrutas de bienestar cada semana al encontrarte con amigos que oran y se preocupan por ti. La iglesia es el antídoto eficaz de Dios para la soledad.

Hace un tiempo, llegó a una de nuestras congregaciones una jovencita que durante años había estado lidiando con la depresión y la ansiedad. Ella tenía muy pocas amistades, y pasaba la mayor parte de su tiempo libre encerrada en su apartamento. No salía a ninguna parte, excepto a su trabajo y a la tienda más cercana para comprar cervezas y cigarrillos. Su vida, tal como ella misma cuenta, no tenía sentido ni propósito. La soledad era su única compañía.

Un día recibió, a través de una compañera de trabajo, la invitación para asistir a uno de los servicios de nuestra iglesia. Puso una y otra excusa, pero fue tanta la insistencia de su colega que accedió a visitar la iglesia "solo una vez, para probar". Asistió al servicio del sábado y pasó gran parte del día compartiendo con nosotros. Disfrutó de un delicioso almuerzo, y en horas de la tarde salió con un grupo de creyentes a entregar alimentos a los más necesitados. Según ella misma cuenta, aquel día fue muy especial. Hacía años que no disfrutaba de un ambiente tan acogedor. Así que volvió la siguiente semana. Esta vez, los jóvenes la invitaron a una actividad social en una de las casas. Asistió, y se dio cuenta de que los cristianos disfrutan la vida de manera sana, sin alcohol ni drogas. Ella no podía creer lo que estaba pasando. Se sentía aceptada y valorada. Cada semana recibía mensajes de texto con expresiones bíblicas motivadoras. Un grupo de hermanas la incluyó en una línea especial de oración. Literalmente, no tenía tiempo para sentirse sola. Seis meses después de su primera visita, pidió ser bautizada. Antes de su bautismo contó su testimonio. Dijo que el amor que le habían mostrado los niños, jóvenes y adultos le había ayudado a vencer la soledad. Hoy es libre, pues abandonó por completo el tabaco y el alcohol. Pero sobre todas las cosas, disfruta de una relación especial con Dios y con su prójimo.

Cuando empecé a escribir este capítulo, tenía planeado terminarlo en este punto. Sin embargo, sé que en tu mente puede rondar la pregunta: *¿En cuál iglesia debo congregarme? ¿Puedo asistir a cualquiera?* Sé que has escuchado la frase que dice: "Todas las iglesias son iguales". Aunque este dicho se ha vuelto popular, no es cierto, pues la Biblia lo desmiente. La Palabra de Dios nos dice que Dios tiene una iglesia (S. Mateo 16:18) que, de acuerdo con Apocalipsis 12:17 y Apocalipsis 14:12, tiene dos características fundamentales: (1) *Tiene la fe de Jesús.* En otras palabras, cree y enseña las doctrinas fundamentales de la fe cristiana. (2) *Guarda los mandamientos de Dios.* Vive en obediencia a los Diez Mandamientos registrados en Éxodo capítulo 20.

La Iglesia Adventista del Séptimo Día es una comunidad de creyentes que cumple fielmente con estas dos características. En primer lugar, cree y enseña la verdad tal como la presenta la Palabra de Dios. Por otro lado, acepta los Diez Mandamientos como una expresión de la voluntad de Dios para la humanidad. De manera especial, la Iglesia Adventista del Séptimo Día cree que Jesús murió para salvar a la humanidad, que resucitó de los muertos, que ascendió a los cielos donde intercede por nosotros, y que muy pronto vendrá por segunda vez para poner fin al dolor, al sufrimiento y a la muerte.

Por razones de espacio, no puedo presentar de forma exhaustiva todas las doctrinas fundamentales que enseña la Iglesia Adventista del Séptimo Día. Por eso te invito a buscar en tu computadora o en tu teléfono celular la Iglesia Adventista del Séptimo Día más cercana. Te aseguro que cuando la visites, te encontrarás con personas maravillosas que se interesarán no solo en tu bienestar emocional sino, sobre todo, en tu bienestar espiritual.

1. Warren W. Wiersbe, *Lonely People: Biblical Lessons on Understanding and Overcoming Loneliness* (Grand Rapids, Michigan: Baker, 2002), p. 11.

2. J. Hunt, *100 claves bíblicas para consejería* (Dallas, Texas: Esperanza para el corazón, 2011), p. 4.

3. "La soledad alcanza nivel de epidemia en EEUU y los jóvenes son los que más la sufren", *Univisión*, 1 mayo 2018, en https://www.univision.com/noticias/depresion/la-soledad-alcanza-nivel-de-epidemia-en-eeuu-y-los-jovenes-son-los-que-mas-la-sufren.

4. David Jeremiah, *¿A qué le tienes miedo?* (Carol Stream, Illinois: Tyndale House Foundation, 2014), p. 125.

5. *Ibíd.,* p. 126.

6. Judith Viorst, *Redbook,* septiembre, 1991.

7. Antonia Laborde, "Se compran amigos y abrazos: la epidemia de soledad en EE UU ya es un negocio", *El País*, 26 agosto 2019, en https://elpais.com/sociedad/2019/07/29/actualidad/1564417043_013460.html.

8. Citado por David Jeremiah, *¿A qué le tienes miedo?* (Carol Stream, Illinois: Tyndale House Foundation, 2014), p. 131.

9. David Platt, *Sígueme* (Carol Stream, Illinois: Tyndale House Foundation, 2013), p. 164.

10. Cheryl Platzman Weinstock, "Asistir a la iglesia puede promover la salud mental", *AARP*, 16 septiembre 2019, en https://www.aarp.org/espanol/salud/vida-saludable/info-2019/ir-a-la-iglesia-es-bueno-para-salud-mental.html.

Preguntas para reflexionar

1. ¿Cuál es la diferencia entre estar solo y sentirse solo?

2. ¿Cuán peligrosa puede ser la soledad?

3. ¿Cuáles son los dos aspectos principales de la soledad?

4. ¿Cómo podemos superar cada uno de estos aspectos?

5. ¿Cuáles son las dos principales características de la verdadera iglesia?

Capítulo 7

Sin temor a la enfermedad

Resulta en principio increíble, y luego lamentable, pero la realidad de nuestro mundo es que millones de personas dejan de disfrutar la vida como resultado de un miedo irreal a padecer o desarrollar una grave enfermedad. Si sienten dolor en el abdomen "¡puede ser cáncer de colon!". Si sienten un dolor en el pecho, "¡quizás estoy a punto de sufrir un infarto!". Si sienten dolor de cabeza, "¡eso no puede ser otra cosa que un tumor cerebral!". Están tan enfocados en las enfermedades que viven en un estado de angustia e inquietud realmente agotador. Este temor es conocido como nosofobia: el miedo de padecer una terrible enfermedad. Algunos la llaman hipocondría, o trastorno de ansiedad por enfermedad. Aunque parezca exagerado, de acuerdo con los estudios se estima que aproximadamente un cinco por ciento de la población mundial sufre de este trastorno de ansiedad.

Es normal que nos preocupemos por nuestra salud, pues nadie desea estar enfermo. Si sentimos que algo no anda bien en nuestro organismo, lo natural es que acudamos al doctor a fin de recibir una valoración médica. El problema tiene lugar cuando dicha preocupación nos paraliza y nos impide llevar una vida productiva. Puede que en algún momento hayas sentido miedo a la enfermedad. Este ha sido un fenómeno difundido a nivel mundial durante la pandemia de COVID-19. Tal vez el historial médico de tus familiares cercanos trae a tu mente algún tipo de preocupación. Tal vez ahora mismo estás batallando con alguna enfermedad, o quizás alguien muy querido está luchando por su salud. Las enfermedades son frecuentes y, en algunos casos, inevitables. Sin embargo, la Biblia nos dice que no debemos temer a "la enfermedad que acecha en la oscuridad, ni a la catástrofe que estalla al mediodía" (Salmo 91:6, NTV).

Las cuatro dimensiones de la salud

En lenguaje sencillo, podemos definir la enfermedad como "ausencia de salud". Ahora bien, permíteme preguntarte: ¿Qué es la salud? El término salud deriva del vocablo latino *salus*, que hace referencia a un estado de completo bienestar. La Organización Mundial de la Salud (OMS) redactó en 1940 la definición más influyente que hasta ahora tenemos de la salud. Permíteme reproducirla a continuación:

"La salud es el estado de completo bienestar físico, mental y social, y no solamente la ausencia de afecciones o enfermedades".[1]

Partiendo de la definición presentada por la OMS, el doctor Floreal Ferrara circunscribió la salud a tres áreas específicas:

1. *La salud física*. Este aspecto de la salud ha sido definido como la ausencia de enfermedades o discapacidades. En otras palabras, implica que tienes suficiente energía y vitalidad para realizar tus tareas diarias y practicas actividades recreativas sin experimentar excesiva fatiga, frustración o irritabilidad.

2. *La salud mental o emocional*. Se refiere tanto a la ausencia de trastornos mentales como a la habilidad del individuo para lidiar efectivamente con los desafíos y vivencias que confronta diariamente en su entorno.

3. *La salud sociocultural*. Se refiere a la habilidad del individuo de relacionarse con otras personas y con el medio social. Las personas que se adaptan al ambiente social que les ofrece la cultura experimentan menos enfermedades y viven con una sensación constante de bienestar y permanencia.

Sin temor a la enfermedad

Aunque la definición de salud presentada por la OMS ha sido aceptada como la mejor de todas, permíteme añadir un elemento más que creo que merece nuestra consideración: *el bienestar espiritual* que resulta de una relación apropiada con Dios. Este bienestar total en cada aspecto de nuestro ser fue el propósito original de Dios cuando nos creó.[2] En resumen, cuando hablamos de salud, debemos tener en cuenta cuatro áreas bien definidas: física, mental, social y espiritual.

Dios y la salud

El Dios de la Biblia es el Dios de la salud. La Escritura dice: "Amado, yo deseo que tú seas prosperado en todas las cosas, y que tengas salud, así como prospera tu alma" (3 Juan 2). En el plan original de Dios para los seres humanos la enfermedad no tenía espacio. ¿Te imaginas cuán saludables habrán sido nuestros primeros padres? Sin contaminación, en un ambiente saludable y con una alimentación de nueces, granos y frutas cultivados sin insecticidas ni fertilizantes.

Elena G. de White, describe así el estado de salud de nuestros primeros padres: "Cuando el hombre salió de las manos de su Creador, era de elevada estatura y perfecta simetría. Su semblante llevaba el tinte rosado de la salud y brillaba con la luz y el regocijo de la vida. La estatura de Adán era mucho mayor que la de los hombres que habitan la tierra en la actualidad. Eva era algo más baja de estatura que Adán; no obstante, su figura era noble y llena de belleza".[3]

Adán y Eva gozaban de excelente salud. Física, mental y socialmente, disfrutaban de bienestar total. Sobre todo, tenían una íntima comunión con Dios, y esto los hacía gozar de una excelente salud espiritual. Pero este estado de bienestar se perdió. Cuando Adán y Eva decidieron desconfiar de Dios y fueron expulsados del Jardín del Edén, perdieron ese elevado nivel de bienestar, y aparecieron las enfermedades en cada una de estas áreas.

El tercer capítulo del libro de Génesis nos cuenta cómo la primera pareja se rindió a las sugerencias del enemigo de Dios, y decidió desobedecer a su Creador. Pero, a pesar de la rebelión de nuestros primeros padres, y de nuestras propias rebeliones, Dios todavía se preocupa por nuestro bienestar.

VIVE SIN TEMOR

En su infinito amor, el Señor nos ha dejado una promesa que nos abre las puertas para vivir con salud. Dios les dio esta promesa a los israelitas cuando peregrinaban por el desierto, pero nosotros también podemos apropiarnos de ella, pues tal como dice San Pablo: "Las cosas que se escribieron antes, para nuestra enseñanza se escribieron, a fin de que, por la paciencia y la consolación de las Escrituras, tengamos esperanza" (Romanos 15:4). Leamos ahora la promesa que Dios le dio a Israel por medio de Moisés: "Si ustedes escuchan atentamente la voz del Señor su Dios y hacen lo que es correcto ante sus ojos, obedeciendo sus mandatos y cumpliendo todos sus decretos, entonces no les enviaré *ninguna de las enfermedades* que envié a los egipcios; porque yo soy el Señor, quien los sana" (Éxodo 15:26, NTV; énfasis agregado).

El pueblo de Israel había recibido información sanitaria muy adelantada para sus días. El doctor S. I. McMillen informa en su intrigante libro, *Ninguna enfermedad,* que algunos arqueólogos encontraron un libro de medicina llamado el *Papiro de Eber,* escrito por los egipcios aproximadamente 1,500 años antes de Cristo, en la época de Moisés. Este documento era una especie de tratado de medicina egipcio. Como todos sabemos, los egipcios eran diestros y experimentados, sin embargo, tenían algunas ideas extrañas. Notemos algo del conocimiento médico que contiene el *Papiro de Eber* (te recomiendo que no intentes esto en casa):

Por ejemplo, "para evitar las canas, puede frotarse el cabello con sangre de gato negro que haya sido hervido en aceite o con grasa de serpiente de cascabel. Para evitar la caída del cabello, tome los siguientes seis tipos de grasa: de caballo, hipopótamo, cocodrilo, gato, serpiente y cabra. Para fortalecer el cabello, aplique una mezcla de miel y polvo de diente de asno". ¿Gracioso? Sigue leyendo.

Si tienes una astilla enterrada, la recomendación médica es: "sangre de gusano y estiércol de asno". Otros tipos de medicina recomendados eran "sangre de lagarto, dientes de cerdo, carne podrida, la humedad de las orejas de cerdo y excremento humano, de animales e incluso de moscas".[4]

¿Te puedes imaginar que tu médico de cabecera te dé tales indicaciones? ¡Estas eran las recomendaciones de los "especialistas" en el tiempo de Moisés! Moisés debe haber conocido el *Papiro de Eber,* pues, tal como dicen las Escrituras, "fue enseñado Moisés en toda la sabiduría de los egipcios" (Hechos 7:22). Sin embargo, en la Biblia no se encuentra ninguna de estas insólitas prescripciones. ¿Por qué? Como ya lo hemos dicho, las leyes sanitarias dadas por Dios a su pueblo estaban muy adelantadas para sus días. El doctor José A. Fuentes cuenta que cuando estaba cursando su maestría en Salud Pública en la Universidad de California (UCLA), el profesor de la clase de salud pública se presentó en el aula el primer día con el libro de texto, que él mismo había escrito, y una Biblia. Intrigado por este hecho, el doctor Fuentes le preguntó al final de la clase cuál religión profesaba. El profesor lo miró extrañado y le respondió con orgullo: "Yo soy ateo, uso la Biblia como libro de texto, pues Moisés fue el primer especialista en salud pública en la historia del hombre. Sus enseñanzas sirven hoy de base para todos los planes de salud sanitaria en todos los países del mundo".[5]

¡Sorprendente! ¿Verdad? Las indicaciones de salud pública que Dios le dio a su pueblo hace miles de años han servido como modelo para los planes de salud modernos. Incluso, estas leyes sanitarias han sido utilizadas para detener la propagación de grandes epidemias. "Durante el siglo XIV se propagó en Europa la llamada 'peste negra'. Una de cada cuatro personas murió a causa de esa peste; no se la podía controlar ni se sabía qué hacer para combatirla. No había ningún concepto de microbiología como el que tenemos ahora. ¿Sabe qué fue lo que terminó con la peste? ¡La Biblia! Finalmente se volvieron a la Escritura. Levítico 13:46 dice: 'Todo el tiempo que tenga la llaga, quedará impuro. Siendo impuro, habitará solo, y su morada será fuera del campamento'. Con la Palabra de Dios aprendieron acerca de la necesidad de poner a los enfermos en cuarentena".[6]

Con la enfermedad del COVID-19 se comprobó lo mismo. Mientras que los países, los estados, los condados, los pueblos y las ciudades respetaron el distanciamiento social y las indicaciones de protección personal, la enfermedad se propagaba lentamente. Pero cuando se levantaron las cuarentenas y las restricciones, la propagación fue incontrolable.

En las Sagradas Escrituras, Dios nos dejó instrucciones concretas sobre cómo cuidar la salud; y no solo se limitó a la salud física. La Palabra de Dios también nos ofrece sabios consejos sobre la salud emocional, la salud sociocultural y especialmente sobre la salud espiritual.

Los ocho factores básicos de la salud

Durante los últimos años se ha venido dando especial importancia al estilo de vida saludable. Más que de medicina *curativa*, los especialistas hablan de medicina *preventiva*. En su libro *Vida dinámica*, los doctores Hans Diehl y Aileen Ludington presentan los ochos factores básicos de la salud. Permíteme compartirlos contigo usando el acróstico ADELANTE:

A: *Aire puro.* Para gozar de buena salud es necesario inundar el organismo con oxígeno, haciendo aspiraciones profundas varias veces al día. Este elemento es de vital importancia para cada una de nuestras células. Cuanto más aire puro respiramos, más gozamos de vitalidad.

D: *Descanso.* Es preciso dormir entre siete y ocho horas cada noche en un cuarto bien ventilado. Hemos de seguir un estilo de vida equilibrado, dedicando tiempo a trabajar y a la sana recreación.

E: *Ejercicio.* Es necesario fortalecer el organismo haciendo ejercicio a diario, al aire libre siempre que resulte posible. Media hora de caminata diaria es el ejercicio más seguro y natural, y uno de los mejores.

L: *Luz solar.* Cuando el cuerpo recibe suficiente radiación solar, mejora la vitalidad y el optimismo. Ahora bien, se nos advierte que, en exceso, la luz solar puede resultar muy perjudicial. Debemos tomarla con moderación, y se recomienda en horas de la mañana.

A: *Agua.* El agua es la mejor bebida, ya que purifica e hidrata todas las células del organismo. Se recomienda tomar de seis a ocho vasos de agua cada día, como mínimo.

N: *Nutrición apropiada*. Hemos de proporcionar a nuestro organismo alimentos saludables que contengan los nutrientes básicos de forma equilibrada, y que aporten suficiente fibra.

T: *Temperancia*. Es necesario abstenerse por completo de las sustancias que pueden resultar perjudiciales, como el tabaco, el alcohol, la cafeína y todo tipo de sustancia que pueda causar adicción, a la vez que hacer un uso moderado y equilibrado de todo lo que es saludable.

E: *Esperanza en Dios*. Una vida de buena calidad incluye el crecimiento y desarrollo de nuestra dimensión espiritual, asistiendo regularmente a la iglesia con nuestra familia. Amor, fe, esperanza y confianza en Dios son valores que refuerzan la salud y proporcionan recompensas duraderas.

¿Sabes lo que más me llama la atención? Hace miles de años, ya Dios había presentado en su Palabra todos estos elementos básicos de la salud. Permíteme presentarte algunos ejemplos: Antes del pecado, Dios le asignó al ser humano un régimen alimentario basado en frutas y semillas: "Dijo Dios: He aquí que os he dado toda planta que da semilla, que está sobre toda la tierra, y todo árbol en que hay fruto y que da semilla; os serán para comer" (Génesis 1:29). Con esa dieta, Adán y Eva y sus descendientes iban a suplir sus necesidades nutricionales y habrían de vivir sanos. Después de la entrada del pecado en el mundo, Dios añadió las verduras a la dieta humana: "Comerás plantas del campo" (Génesis 3:18).

El consumo de carne nunca estuvo en los planes divinos, pero ya que el hombre decidió comerla, Dios ha dado directrices sobre cuáles son las carnes aptas para el consumo humano: Entre los animales terrestres, la carne de aquellos que rumian y tienen la pezuña hendida. Entre las aves, las palomas, perdices, codornices y gallinas. Debían evitarse las aves carroñeras, las nocturnas, las aves de presa y las que viven en los pantanos. De los peces, solo aquellos que tienen aletas y escamas (ver Levítico 11:1-23 y Deuteronomio 14:2-21). Ni la sangre ni la grasa podían consumirse (Levítico 3:17).

De igual manera, Dios habló de la importancia del descanso

para la salud. El Señor no solo dio al ser humano el reposo nocturno, sino que también le dio un reposo semanal. "Acuérdate del día de reposo para santificarlo. Seis días trabajarás, y harás toda tu obra; mas el séptimo día es reposo para Jehová tu Dios; no hagas en él obra alguna, tú, ni tu hijo, ni tu hija, ni tu siervo, ni tu criada, ni tu bestia, ni tu extranjero que está dentro de tus puertas" (Éxodo 20:8-10). Dios espera que cada séptimo día los seres humanos hagamos una pausa en nuestra rutina de trabajo y entremos en contacto con él.

Por último, la Biblia nos amonesta respecto al uso de sustancias nocivas: "El vino lleva a la insolencia, y la bebida embriagante al escándalo; ¡nadie bajo sus efectos se comporta sabiamente!" (Proverbios 20:1, NVI). Nuestro cuerpo es templo del Espíritu Santo, y no hemos de consumir nada que nos perjudique (ver 1 Corintios 6:19, 20).

La historia de "la abuelita *Whitney*"

En su libro, *Vivir para triunfar,* el autor Félix Cortés cuenta la historia de Hulda Crooks, conocida cariñosamente como "la abuelita Whitney". Hulda nació en una granja canadiense, donde creció con una dieta a base de carne, leche, crema (nata), manteca, huevos y mucha actividad física. En el almacén de su padre, también tenía acceso a un barril de caramelos en un extremo del mostrador, y uno de chocolates rellenos en el otro. ¡A los dieciséis años, Hulda medía 1,60 metros (5'3") y pesaba 72.5 kilos (160 libras)!

A los dieciocho años, habiendo completado solo cinco grados de educación, Hulda se unió a la Iglesia Adventista del Séptimo Día, adoptó la filosofía adventista de salud, y se volvió ovo lacto vegetariana. Siguió esa dieta durante 75 años, con resultados asombrosos, comiendo gran variedad de frutas, verduras, cereales integrales y oleaginosas, junto con una cantidad moderada de leche descremada y unos pocos huevos.

En 1927, en la Universidad de Loma Linda, California, Hulda terminó sus estudios de nutrición, pero a costa de su salud. "Yo no valía gran cosa —cuenta ella misma—. Estaba siempre nerviosa y cansada".

Un verano, mientras se encontraba de vacaciones con su esposo, el doctor Samuel Crooks, pasaron cerca del monte Whitney. Él le señaló la montaña y le dijo: "¿Ves aquel pico? Es el Whitney, la montaña más alta de América del Norte".

Se ve aterrador, pensó Hulda. Ni ella ni su esposo jamás imaginaron que treinta años más tarde, Hulda escalaría aquella montaña. En 1962, a los 66 años, Hulda escaló por primera vez el monte Whitney, de 4,421 metros (14,505 pies) de altura. A la edad de 70 años comenzó a trotar, a fin de mejorar el estado de su corazón y sus pulmones, en preparación para su ascenso anual. Cuando cumplió los 90 años, ya había escalado 23 veces la famosa montaña. Ese año le realizaron exámenes médicos, y resultó que Hulda tenía una capacidad pulmonar equivalente al de una persona 30 años más joven. Y para asombro de todos, después de dos duros meses de subir cerros y escaleras, Hulda mejoró su capacidad un siete por ciento, demostrando que, incluso a esa edad, podemos mejorar nuestro estado físico.

En 1987, Dentsu, la mayor empresa publicitaria de Japón, pensó que era una idea novedosa que una mujer de 91 años escalara con ellos el monte Fuji en la ascensión anual de los empleados, durante la celebración del cincuenta aniversario de la compañía.

El 24 de julio de 1987, Hulda observó la salida del sol desde la cima del monte Fuji. Así, se convirtió en la mujer de más edad en la historia de Japón en haber escalado el monte Fuji. También se convirtió en la persona más anciana, hombre o mujer, en escalar el monte Whitney. Hulda murió a los 101 años, llena de optimismo y sin temor. En una entrevista antes de su muerte expresó: "Cuando tienes fe en Dios, y crees que es amor, bondad y justicia, y que tiene cuidado de ti, no vivirás siendo víctima de la tensión. Desarrollas el hábito de confiar. Sientes que lo que sea que te ocurra en la vida es parte de un proceso para desarrollar el carácter. Aprendes paciencia, esperanza y tolerancia".[7]

La vida de Hulda Crooks nos enseña que la confianza en Dios y la puesta en práctica de los principios de vida estipulados en la Biblia son la clave para tener una vida saludable. Sin embargo, por causa del pecado, un día tendremos que hacer frente a la enfermedad. Tal vez en estos momentos estás pasando por un momento difícil. Puede que hayas sufrido un accidente, o que estés enfermo o debilitado a causa de tu herencia genética o de un mal estilo de vida. Quizás estás confinado a una habitación, o sujeto a una silla de ruedas, pero no tienes por qué temer, solo confía, Dios te sanará; puede ser de este lado de la eternidad, o en aquel día glorioso cuando Jesucristo nuestro eterno Sanador se manifieste por segunda vez en las nubes de los cielos.

1. "¿Cómo define la OMS la salud?", *Organización Mundial de la Salud*, https://www.who.int/es/about/who-we-are/frequently-asked-questions, consultado en julio, 2020.
2. J. Wilkinson, *Nuevo diccionario de teología* (El Paso, Texas: Casa Bautista de Publicaciones. 2005), p. 833.
3. Elena de White, *Patriarcas y profetas* (Doral, Florida: Asociación Publicadora Interamericana, 2008), p. 25.
4. Ilustración tomada de Adrián Rogers, *Lo que cada cristiano debe conocer* (El Paso, Texas: Casa Bautista de Publicaciones, 2008), p. 16.
5. José A. Fuentes, *El deseo de vivir* (Nampa, Idaho: Pacific Press Publishing Association, 2004), p. 14.
6. Adrián Rogers, *Lo que cada cristiano debe conocer*, p. 17.
7. Myrna Oliver, "Hulda Crooks, 101; Oldest Woman to Scale Mt. Whitney", *Los Angeles Times*, 26 noviembre 1997, en https://www.latimes.com/archives/la-xpm-1997-nov-26-mn-57923-story.html.

Preguntas para reflexionar

1. ¿Qué es la salud?

2. ¿Cuáles son las cuatro dimensiones que abarca la salud?

3. ¿Cuál es el deseo de Dios para sus hijos?

4. ¿Cuáles son los ocho factores básicos de la salud?

5. ¿Cuál es el secreto de una vida saludable?

Capítulo 8

Sin temor a la muerte

Muerte. Solo con pensar en esa palabra siento escalofríos y vienen a mi mente pensamientos grises y recuerdos tristes. Tan temible resulta la muerte que los seres humanos procuramos por todos los medios evitarla, disminuir su impacto y posponer el momento de enfrentarla. Un ejemplo de esto lo encontramos en Arturo Toscanini, el célebre director de la orquesta de la Scala de Milán. Las coronas de flores siempre le recordaban la muerte. En una ocasión, después de un concierto en Nueva York, una de sus admiradoras colocó una guirnalda de flores a los pies del maestro. Entonces, Toscanini palideció y salió corriendo por una puerta lateral del teatro hacia el hotel donde se hospedaba, y allí se encerró en su habitación hasta el día siguiente.

Se cuenta que el rey Luis XIV sufría de este mismo pavor. Por eso había ordenado que nadie mencionara la muerte en su presencia. Quien lo hiciera, caería en desgracia delante del rey. Pero cierto día uno de los miembros de su corte, señalando la iglesia de San Dionisio, que se veía a través de una ventana, le dijo: "Majestad, allí están todos nuestros antepasados". Entonces el rey ordenó que se construyera otro palacio entre el suyo y la iglesia, para no tener que ver la iglesia ni recordar a sus parientes fallecidos.

Historias como estas abundan, pues las personas que viven esclavizadas por el miedo a la muerte se cuentan por millones. Cuando el agnóstico David Hume presentía la cercanía de su muerte, declaró con gran amargura: "Me siento *atemorizado*... ¿Dónde estoy? ¿Quién soy? ¿Hacia dónde voy? Estas preguntas me afligen y confunden. Comienzo a darme cuenta de que me encuentro en una situación deplorable, rodeado de tinieblas densas e impenetrables".[1]

¡Cuan diferente fue el sentimiento del rey David! Él dijo: "Aunque ande en valla de sombra de muerte, *no temeré* mal alguno" (Salmo 23:4; énfasis agregado). Mientras el incrédulo se desespera cuando llega su hora, el hijo de Dios confía. No teme a la muerte, porque sabe que su Redentor habrá de resucitarlo. No teme a la tumba, pues tiene la certeza de que el hombre no fue creado solo para este breve tiempo, sino para la eternidad.

La verdad sobre la muerte

El tema de la muerte nos sugiere muchas inquietudes: ¿Por qué morimos? ¿Qué nos ocurre al morir? ¿Hay alguna parte de nosotros que sigue viva después de la muerte? ¿Tenemos un alma inmortal? ¿Dónde están los muertos? Las respuestas a estas interrogantes se encuentran en la Biblia.

Ahora bien, para poder comprender la muerte, primero hemos de entender la vida. En el libro de Génesis se narra la creación del primer ser humano: "Entonces Jehová Dios formó al hombre del polvo de la tierra, y sopló en su nariz aliento de vida, y fue el hombre un ser viviente" (Génesis 2:7). Cuando Dios se dispuso a crear al hombre, tomó de la tierra carbono, hidrógeno, oxígeno, nitrógeno, calcio, hierro, fósforo, sodio y otros elementos, y formó un cuerpo. Esa criatura tenía un cerebro que todavía no funcionaba; en su pecho tenía un corazón que aun no latía. Esa creación estaba lista para vivir, pero no tenía vida. Es en este punto cuando Dios se inclina sobre Adán y sopla en su nariz el aliento de vida. Cuando esto sucede, comienza un prodigioso suceso que la ciencia médica nunca ha podido ni podrá reproducir: un cuerpo físico se convierte, como dice la Biblia, en "un alma viviente". Para ilustrar el origen de la vida, podemos reproducir una sencilla fórmula matemática:

polvo de la tierra + aliento de vida = ser viviente

Si este es el proceso de la vida, entonces ¿qué sucede al morir? Sucede lo contrario: "Y el polvo vuelva a la tierra, como era, y el espíritu vuelva a Dios que lo dio" (Eclesiastés 12:7). La fórmula matemática de la muerte sería como sigue:

Sin temor a la muerte

polvo de la tierra – aliento de vida = muerte

Notamos que cuando la persona muere, el proceso de creación se revierte. El polvo, o la materia física que conforma el cuerpo, desciende al sepulcro, y el soplo de vida o espíritu regresa a Dios. Pero es justo aquí donde se genera la confusión, ya que muchos creen que este espíritu que regresa a Dios es una especie de entidad inteligente y consciente que puede existir separada del cuerpo físico. De acuerdo con este postulado, los seres humanos *tenemos* un alma inmortal que se libera del cuerpo cuando morimos. Pero, ¿es esto cierto? ¿Fuimos creados *con* un alma inmortal? Según la Biblia la respuesta es un rotundo *no*, pues solo Dios es inmortal: "al único inmortal, que vive en luz inaccesible, a quien nadie ha visto ni puede ver, a él sea el honor y el poder eternamente" (1 Timoteo 6:16, NVI).

El termino "alma" aparece aproximadamente 1,600 veces en las Sagradas Escrituras, pero nunca se hace mención como si esta fuera inmortal. La palabra "alma" se traduce del término hebreo *néfesh* y del griego *psykjé*. El término hebreo puede significar literalmente "criatura que respira", y el griego suele transmitir la idea de "ser vivo", "persona", o "individuo". Por tanto, puede decirse que el alma se refiere al propio ser, a la criatura o la persona en su totalidad; no a algo que *tengamos* en nuestro interior que sobreviva a la muerte del cuerpo. Veamos algunos pasajes bíblicos que confirman este postulado:

- "Formó, pues, El SEÑOR Dios al hombre *del* polvo de la tierra, y sopló en su nariz *el* aliento de vida; y *fue* el hombre un alma viviente" (Génesis 2:7, JBS; énfasis en el original). (Cabe destacar que este pasaje deja claro que cuando Adán fue creado *no recibió* un alma, sino que llegó *a ser* un alma, es decir una persona.)
- "Todas las personas que descendieron de Jacob fueron setenta almas. Pero José estaba *ya* en Egipto" (Éxodo 1:5, NBLA).
- "He aquí que todas las almas son mías; como el alma del padre, así el alma del hijo es mía; *el alma que pecare, esa morirá*" (Ezequiel 18:4; énfasis agregado).

En la Biblia, el alma también es sinónimo de *vida* (Génesis 9:4; Job 33:22; Salmo 31:13), de *deseos, apetitos* o *pasiones* (Deuteronomio 23:24; Proverbios 23:2; Eclesiastés 6:7) de la *sede de los afectos* o los *sentimientos* (Génesis 34:3; Cantares 1:7) y de la parte *volitiva* del ser humano (Salmo 105:22).

Entonces, ¿de dónde se originó la creencia de que el alma es una entidad inteligente inmortal que puede existir separada del cuerpo? Esta creencia, que es común en muchas denominaciones cristianas, proviene de los antiguos griegos. De hecho, el *Diccionario enciclopédico del cristianismo* explica: "Esta concepción de alma inmortal deriva de la antigua filosofía griega, según la cual, en el hombre, el cuerpo (*soma*) está separado del alma (*psykjé*), de la que es instrumento. La Biblia, en cambio, expresa una concepción no dualista que ve al hombre como una realidad unitaria".

Por su parte, el historiador griego Heródoto, del siglo V antes de nuestra era, afirmó que los egipcios fueron los primeros en crear la doctrina de la inmortalidad del alma. "Para los egipcios, el hombre no moría inmediatamente. Cuando exhalaba el último suspiro, se escapaba de su cuerpo otro cuerpo impalpable llamado el doble o el alma, que continuaba viviendo mientras el cuerpo no caía en la descomposición".[2]

La creencia de la inmortalidad del alma pasó de los egipcios a los sumerios, quienes constituyeron el pueblo más antiguo de la Baja Mesopotamia, y dieron origen a la civilización babilónica. Posteriormente, dicha creencia pasó a la antigua Grecia, donde sus filósofos la popularizaron. Platón (427-347 a.C), junto con Sócrates y Aristóteles constituyen los máximos exponentes de la filosofía clásica griega. Platón escribió diversas obras en forma de diálogo. Entre sus diálogos más destacados se encuentra el *Fedón,* obra literaria en la que el filósofo expone sus argumentos a favor de la inmortalidad del alma.

De Grecia, esta creencia se extendió por todo el mundo, alcanzando incluso el judaísmo. En el siglo I de nuestra era, dos importantes sectas judías, los esenios y los fariseos, enseñaban que el alma sobrevive a la muerte. *The Jewish Encyclopedia* explica: "La creencia de la inmortalidad del alma llegó a los judíos por el contacto con el pensamiento griego y, sobre todo, mediante la filosofía de Platón".

Igualmente, Josefo, el historiador judío del siglo I, no atribuyó esta enseñanza a las Santas Escrituras, sino a "la opinión de los griegos", que él consideraba una colección de mitos y leyendas.

La creencia en la inmortalidad del alma es una doctrina diametralmente opuesta a la clara enseñanza de la Palabra de Dios. Fue Satanás, en el Jardín del Edén, el que dijo engañosamente a la primera pareja: "No moriréis; sino que sabe Dios que el día que comáis de él, serán abiertos vuestros ojos, y seréis como Dios, sabiendo el bien y el mal" (Génesis 3:4, 5).

¿Dónde están nuestros seres queridos muertos?

Entonces, ¿cuál es el estado de los muertos? La Biblia declara claramente: "Los que viven saben que han de morir; pero los muertos nada saben, ni tienen más paga; porque su memoria es puesta en olvido' (Eclesiastés 9:5). "En la muerte no hay memoria de ti; en el Seol, ¿quién te alabará?" (Salmo 6:5). Y el salmista David testifica: "Sale su aliento, y vuelve a la tierra; en ese mismo día perecen sus pensamientos" (Salmo 146:4).

En nuestros días hay quienes creen y enseñan que cuando un individuo muere, enseguida pasa a recibir el premio de su vida justa o el castigo de sus malas acciones. Pero la Biblia no avala dicha idea. Por ejemplo, las Escrituras declaran que el rey David anduvo en los caminos de Dios y guardó sus estatutos y sus mandamientos (ver 1 Reyes 3:14; 11:34). De manera que David era un hombre justo a la vista del Señor. Pero de él dice San Pedro: "Varones hermanos, se os puede decir libremente del patriarca David, que murió y fue sepultado, y su sepulcro está con nosotros hasta el día de hoy… Porque David no subió a los cielos" (Hechos 2:29, 34). Desde la muerte del salmista hasta los días del apóstol Pedro habían pasado muchos siglos; sin embargo, David estaba todavía en el sepulcro, esperando el cumplimiento de la promesa de Dios.

De igual manera, en ninguna parte de la Biblia se encuentra alguna prueba de que exista algún lugar de fuego donde los impíos están siendo atormentados en este preciso momento. En el Antiguo Testamento, la palabra "infierno" se traduce siempre del término hebreo, *sheol,* que significa "sepulcro". Un ejemplo claro de ese uso se encuentra en Génesis 37:35: "Y se levantaron todos sus hijos y todas sus hijas para consolarlo; mas él no quiso recibir consuelo, y dijo: Descenderé enlutado a mi hijo hasta el Seol [sepulcro]. Y lo lloró su padre". El salmista también declaró: "Los malos serán trasladados al Seol [sepulcro], todas las gentes que se olvidan de Dios" (Salmo 9:17). En el Nuevo Testamento, la palabra *infierno* se traduce de tres palabras griegas. *Tártaros,* que significa "prisiones de oscuridad", se usa una vez en 2 Pedro 2:4. *Hades,* que significa "la tumba o la muerte", se usa diez veces. Cuando Pedro, en Hechos 2:27, cita el Salmo 16:10, usa la palabra *Hades* donde el salmista usó la palabra *Sheol.*

La tercera palabra utilizada es *gehena,* que es el equivalente en griego de la palabra hebrea *hinnom,* el nombre de un valle cerca de Jerusalén donde se arrojaban los cadáveres de los animales y los malhechores para que fueran consumidos por las llamas. Jesús utilizó este término para referirse a la destrucción completa que será el resultado del juicio condenatorio de Dios (S. Mateo 5:22). Cuando el juicio de Dios se realice, los impíos serán exterminados para siempre. El profeta Malaquías escribió: "He aquí, viene el día ardiente como un horno, y todos los soberbios y todos los que hacen maldad serán estopa; aquel día que vendrá los abrasará, ha dicho Jehová de los ejércitos, y no les dejará ni raíz ni rama" (Malaquías 4:1).

En resumen, podemos decir que la muerte es la cesación completa de todas las funciones de la vida. Se trata de un estado de total inconsciencia. Allí no está el gozo inefable del cielo, ni el horrible tormento del infierno. La persona fallecida tan solo espera el juicio final sin siquiera saber que lo está esperando; porque toda su actividad mental y emocional queda interrumpida hasta el día final.

Símbolo perfecto de la muerte

De acuerdo con la historia, los antiguos romanos tenían treinta representaciones, figuras o analogías para la muerte, y no había esperanza de vida en ninguna de ellas. Ellos llamaban a la muerte: "un segador con su hoz", "un cazador con su trampa, lazo o red", "un demonio con una copa de veneno", "un carcelero con su llave", "una columna destrozada", "una flor estrujada y sin fragancia", "un arpa despedazada y sin música", entre otras.

Pero nuestro Señor Jesucristo usó una figura diferente a todas estas. Al referirse a la muerte, él la llamó simplemente "un sueño". Al ocurrir la muerte de Lázaro, dijo a sus discípulos: "Nuestro amigo Lázaro duerme; mas voy para despertarle" (S. Juan 11:11). Los discípulos, que no comprendieron bien sus palabras, le dijeron: "Señor, si duerme, sanará" (vers. 12). Pero lo que Jesús quería decir era que Lázaro estaba durmiendo el sueño de la muerte. "Entonces Jesús les dijo claramente: Lázaro ha muerto" (vers. 14).

Otros pasajes de la Biblia que confirman esta misma verdad son Daniel 12:2: "Y muchos de los que duermen en el polvo de la tierra serán despertados, unos para vida eterna, y otros para vergüenza y confusión perpetua", y 1 Tesalonicenses 4:13, 14: "Tampoco queremos, hermanos, que ignoréis acerca de los que duermen, para que no os entristezcáis como los otros que no tienen esperanza. Porque si creemos que Jesús murió y resucitó, así también traerá Dios con Jesús a los que durmieron en él".

Qué alentador es saber que Jesús comparó la muerte con un simple sueño. Cada noche vamos a nuestras camas con la certeza de que en unas horas veremos el amanecer. Cerramos los ojos, y al abrirlos de nuevo vemos la luz de un nuevo día. Morir es tan sencillo como dormir. Así como no le tememos al sueño, tampoco hemos de sentir temor a la muerte.[3]

Victoria sobre la muerte

Respecto a la muerte de Lázaro, la Biblia dice que cuando Jesús llegó, hacía ya cuatro días que su amigo había sido sepultado. Cuando Marta, una de las hermanas de Lázaro, vio al Maestro, le expresó su pesar y a la vez su esperanza: "Señor, si hubieses estado aquí, mi hermano no habría muerto. Mas también sé ahora que todo lo que pidas a Dios, Dios te lo dará. Jesús le dijo: Tu hermano resucitará. Marta le dijo: Yo sé que resucitará en la resurrección, en el día postrero" (S. Juan 11:21-24). Luego el Señor le dio esta gloriosa seguridad, que se constituye en consuelo y en sublime esperanza para todos sus seguidores: "Yo soy la resurrección y la vida; el que cree en mí, aunque esté muerto, vivirá. Y todo aquel que vive y cree en mí, no morirá eternamente" (vers. 25, 26).

Momentos después, Jesús y sus acompañantes se encontraban frente al sepulcro. Entonces, a la orden de Jesús, quitaron la piedra que tapaba la entrada, y él clamó a gran voz: "¡Lázaro, ven fuera!". Y el muerto volvió a la vida (vers. 43, 44). Después de haber estado cuatro días en el sepulcro, y tras haber empezado el proceso de descomposición, Lázaro volvió a la vida, rebosando salud y energía.

El milagro de la resurrección de Lázaro es apenas el preludio de otro milagro mucho más sorprendente. Después de su crucifixión y sepultura, el Señor experimentó su gloriosa resurrección. Jesús triunfó sobre la muerte y sobre el poder de la tumba, y gracias a su resurrección, garantizó el perdón de nuestros pecados y la victoria final del bien sobre el mal (ver 1 Corintios 15). Gracias a la resurrección de Cristo, hoy podemos asir su mano poderosa y superar el temor a la muerte. Podemos acudir a él en la hora de nuestro dolor y recibir consuelo para nuestro quebranto.

¿Qué sería de nuestra fe, o qué valor tendría, si Jesús no hubiera resucitado? "Si Cristo no resucitó, vuestra fe es vana; aún estáis en vuestros pecados. Entonces también los que durmieron en Cristo perecieron. Si en esta vida solamente esperamos en Cristo, somos los más dignos de conmiseración de todos los hombres. Mas ahora Cristo ha resucitado de los muertos; primicias de los que durmieron es hecho" (1 Corintios 15:17-20).

Si Jesús no hubiera resucitado, estaríamos ante el mayor impostor que pretendió ser Dios, pero que no demostró poder suficiente para romper las cadenas de la muerte. Si Cristo no hubiera resucitado, la historia de la cruz solo sería una conmovedora narración carente de significado redentor. Sin la resurrección, el cristianismo sería semejante a cualquier otro sistema religioso destituido de poder. Pero, gracias a Dios, la tumba de Jesús hoy está vacía.

Se cuenta que en cierta ocasión un musulmán interrumpió a un predicador cristiano diciendo:

—Nosotros tenemos una prueba de nuestra religión que ustedes no tienen, porque cuando vamos a la Meca podemos ver la tumba del profeta. Tenemos así la prueba de que él vivió y murió. Pero, cuando ustedes van a Jerusalén, no pueden tener la certeza del lugar en que fue sepultado Jesús. No tienen un mausoleo como nosotros.

—Es verdad —replicó el predicador—. Nuestro evangelio no termina en muerte, sino en victoria; no en tumbas, sino en triunfo —y con tono enérgico continúo diciendo—: La sepultura de Mahoma en Arabia no está vacía. El sepulcro de Confucio en la legendaria China tampoco está vacío. Los fragmentos del cuerpo de Buda están depositados en relicarios en diferentes lugares de Oriente. Pero la tumba de Jesús está vacía. "No está aquí, pues ha resucitado", afirman las Escrituras.

Sí, querido lector, la tumba de Jesús está vacía, y gracias a su victoria, hoy tú y yo tenemos esperanza. "Porque si creemos que Jesús murió y resucitó, así también traerá Dios con Jesús a los que durmieron en él. Por lo cual os decimos esto en palabra del Señor: que nosotros que vivimos, que habremos quedado hasta la venida del Señor, no precederemos a los que durmieron. Porque el Señor mismo con voz de mando, con voz de arcángel, y con trompeta de Dios, descenderá del cielo; y los muertos en Cristo resucitarán primero" (1 Tesalonicenses 4:14-16).

La resurrección de Cristo garantiza nuestra resurrección. Él nos dice a todos los que creemos en él: "Porque yo vivo, también ustedes vivirán" (S. Juan 14:19, NVI). Cristo nos ha prometido que si morimos en él, resucitaremos para vida eterna. Por lo tanto, no debemos tener miedo a la muerte. Hoy, aun estando en medio de una pandemia, podemos ver el futuro con seguridad, pues Jesús mismo nos dice: "No temas; yo soy el primero y el último; y el que vivo, y estuve muerto; mas he aquí que vivo por los siglos de los siglos, amén. Y tengo las llaves de la muerte y del Hades" (Apocalipsis 1:17, 18).

"No temo a la muerte…"

Me gustaría cerrar este capítulo contándote la historia de una fiel seguidora de Jesús, que en sus últimos momentos de su vida dijo con fe y ánimo resuelto: "No temo a la muerte". Esta fiel creyente había sido diagnosticada con cáncer en la piel. Dicha noticia fue devastadora tanto para ella como para sus familiares. Como era de esperarse, fue sometida a diferentes tratamientos a fin de detener la expansión de la enfermedad. Pero esta no cedió, sino que fue empeorando más y más. Después de meses de lucha, los doctores le notificaron que le quedaba poco tiempo de vida. Un día fui a visitarla para darle algunas palabras de ánimo. Cuando entré en su habitación me sorprendí, pues no me encontré con una persona apesadumbrada, sino todo lo contrario. Después de haber orado, ella me dijo: "Pastor, no tengo miedo a la muerte". Entonces hizo una pausa y citó el texto de Filipenses 1:21: "Porque para mí el vivir es Cristo, y el morir es ganancia".

Aquel día, salí de ahí asombrado de la fe de aquella mujer. En su corazón no había temor a la muerte. Su confianza estaba puesta en Aquel que es "la resurrección y la vida". ¿Y sabes? Hoy, tú también puedes tener la certeza de la resurrección. Hoy puedes vivir sin temor a la muerte. Hoy, al igual que el salmista David y el patriarca Job, puedes decir: "Porque este Dios es Dios nuestro eternamente y para siempre; él nos guiará aun más allá de la muerte" (Salmo 48:14). Porque "yo sé que mi redentor vive, y que al final triunfará sobre la muerte" (Job 19:25, NVI).

1. Citado por Vladimir Polanco, *En esto creemos* (Doral, Florida: Asociación Publicadora Interamericana, 2011), p. 295.

2. Citado por Lorenzo J. Baum, *La mayor conquista de la vida* (Coral Gables, Florida: Asociación Publicadora Interamericana, 1986), p. 92.

3. *En esto creemos* (Doral, Florida: Asociación Publicadora Interamericana, 2011), p. 297.

Preguntas para reflexionar

1. De acuerdo con Génesis 2:7, ¿cuáles son los elementos que conforman la vida?

2. Según Eclesiastés 12:7, ¿qué sucede al momento de la muerte?

3. ¿Dónde se originó la creencia de que tenemos un alma inmortal?

4. En la Biblia, ¿a qué se compara la muerte?

5. ¿Qué garantiza la victoria sobre la muerte?

Capítulo 9

El temor que resulta en bendición

¿Alguna vez has leído el libro de Apocalipsis? Este libro, que cierra la Biblia, puede parecer desafiante y misterioso, incluso para el lector más versado, pero en dicho libro se encuentra la última invitación de un Dios amoroso para un mundo que persiste en rechazarlo y lo desafía abiertamente. Este mensaje recibe el calificativo de "el evangelio eterno", y comienza diciendo: "Temed a Dios, y dadle gloria, porque la hora de su juicio ha llegado; y adorad a aquel que hizo el cielo y la tierra, el mar y las fuentes de las aguas" (Apocalipsis 14:7).

Para muchos lectores modernos, este mensaje resulta extraño y aun chocante. ¿Cómo puede Dios pedir que los seres humanos le teman? ¿Cómo puede el temor ser parte del mensaje del evangelio eterno? Harold S. Kushner, el popular rabino y autor del éxito de librería *When Bad Thing Happen to Good People* [Cuando le pasan cosas malas a la gente buena], dice que no le agrada la idea de temer a Dios. En su libro *Conquering Fear: Living Boldly in an Uncertian World* [Vencer el miedo: Cómo vivir con valor en un mundo incierto] escribió: "Si hay una frase que me gustaría que hicieran desaparecer del discurso teológico, son las cuatro palabras 'el temor a Dios'. No tengo buena opinión de una religión que procure controlar a sus seguidores asuntándolos".[1]

Creo que podemos estar de acuerdo con Kushner en el hecho de que no debemos usar el miedo como instrumento de control religioso. Sin embargo, creo que sería imprudente remover del mensaje del evangelio una orden como la de "temed a Dios". En vez de rechazar y huir de la idea de temer a Dios, hemos de procurar comprenderla en su contexto, de ver de qué se trata ese temor, y por qué Dios desea que yo lo tema. Una vez que entendamos lo que significa e implica temer a Dios, entonces hemos de vivir de acuerdo con lo que esa noción conlleva. Así que, si al igual que Kushner no entendemos qué es el temor de Dios, creo que deberíamos dedicarnos a estudiar, a manera de conclusión de este libro, el tema del temor a Dios. ¿Qué significa temer a Dios? Y, ¿por qué un libro que se ha dedicado a combatir el miedo concluye con una invitación a "temer"?

La madre de todas las mentiras

Como ya aprendimos antes, el miedo se introdujo por primera vez en la experiencia humana en el Jardín del Edén. Allí, Adán y Eva disfrutaban de una dulce relación de confianza con el Creador y entre ellos. Después pecaron. Y fue por el pecado, la separación de Dios que implicó la ruptura de su relación con Dios y su relación mutua, que por primera vez sintieron miedo, vergüenza y culpa. Cuando escucharon que el Creador se acercaba para visitarlos en el jardín, se escondieron. Tenían miedo de que Dios los viera como estaban: desnudos, vulnerables y pecadores (Génesis 3:9, 10).

¿Te puedes imaginar cómo se habrá sentido Dios al ver a sus hijos huyendo de su presencia? Escuchar a Adán decir: "Tengo miedo", debe haber desgarrado el corazón de Dios.

Cuando me entregué a Jesucristo y comencé a estudiar las Sagradas Escrituras, no podía entender del todo la historia de la caída de nuestros primeros padres. Con frecuencia me preguntaba: *¿Por qué Adán no salió al encuentro de Dios para decirle todo lo que había pasado? ¿Por qué no confesó de inmediato que habían desobedecido la orden de no comer del árbol del conocimiento del bien y el mal?* Podía entender el hecho de que sintieran vergüenza por su pecado, ¿pero, esconderse? ¿Sentir miedo de Dios? Eso no podía entender.

Sin embargo, después de leer una y otra vez la historia, descubrí que tanto Adán como Eva se escondieron de Dios porque habían creído la más grande de todas las mentiras. Ocurrió en un diálogo que Eva sostuvo con la serpiente:

El temor que resulta en bendición

¿Conque Dios os ha dicho: ¿No comáis de todo árbol del huerto? —preguntó la insidiosa serpiente— Y la mujer respondió a la serpiente: Del fruto de los árboles del huerto podemos comer; pero del fruto del árbol que está en medio del huerto dijo Dios: No comeréis de él, ni le tocaréis, para que no muráis. Entonces la serpiente dijo a la mujer: No moriréis; sino que sabe Dios que el día que comáis de él, serán abiertos vuestros ojos, y seréis como Dios, sabiendo el bien y el mal (Génesis 3:1-5).

¿Qué fue lo que la serpiente insinuó? Que la orden de Dios era injusta. En otras palabras, la serpiente le dijo a la mujer: "Lo que pasa es que Dios no quiere que ustedes coman de este fruto y lleguen a ser como él. ¡Mírenme! Yo he comido del fruto, y puedo hablar, a pesar de que las serpientes no hablan. Si ustedes también lo prueban, ¡imagina lo que pasará! Se convertirán en dioses".

La lógica de la serpiente era magistral: "¿Cómo es posible amar a alguien tan cruel que prohíbe algo tan bueno? Y si ustedes no pueden amarlo, ¿cómo podrán confiar en él? Y si no pueden confiar en él, debe ser alguien de quien hay que temer".

"He aquí —escribe el gran predicador Dwight Nelson— la mentira que aun hoy se sigue repitiendo. Una mentira descarada que ha sido reproducida millones de millones de veces en el transcurso de la historia de la humanidad. Esta es la mentira: *Dios es un ser a quien hay que tenerle miedo*".[2]

Es doloroso admitirlo, pero esta mentira funcionó. Adán y Eva creyeron las palabras del enemigo, ya que después de desobedecer a Dios los vemos escondidos y temblando de miedo. Se escondieron porque ya no veían a Dios como un padre amante, dispuesto a perdonarlos y darles una segunda oportunidad, sino como un cruel tirano que había venido a castigarlos.

La mentira de que a Dios hay que tenerle miedo ha formado parte de todas las religiones del mundo. Esta mentira ha impregnado el islam y el judaísmo. Es triste admitirlo, pero también se ha introducido en gran parte de la cristiandad. Son muchos los creyentes que miran a Dios como un juez severo e implacable. Sin embargo, la Biblia dice todo lo contrario. "Porque no nos ha dado Dios espíritu de cobardía, sino de poder, de amor y de dominio propio" (2 Timoteo 1:7), escribió el apóstol Pablo.

Bajo ninguna circunstancia podemos albergar la idea de que Dios pretende que sus criaturas le tengan miedo. Al contrario, nos invita a acercarnos a él confiadamente, a que lo amemos con todo el corazón y con todas nuestras fuerzas, y que nos gocemos en su presencia.

Por lo tanto, hemos de entender que el temor a Dios no tiene que ver con el miedo. En ningún lugar de la Biblia se dice que debemos tenerle "miedo" a Dios; la palabra que se repite una y otra vez es "temor". Mientras que el miedo nos aprisiona en una cárcel de ansiedad e inseguridad, el temor a Dios nos llena de abundantes bendiciones:

- *El temor a Dios nos hace más sabios:* "El principio de la sabiduría es el temor de Jehová" (Proverbios 1:7). La sabiduría no se obtiene en la escuela, sino que proviene de Dios. Es él quien nos indica lo que debemos creer, la manera en la que debemos reaccionar en cada ocasión, y lo que debemos hacer en toda circunstancia.

- *El temor a Dios nos aparta del mal:* "Con el temor de Jehová los hombres se apartan del mal" (Proverbios 16:6). El genuino temor a Dios produce el deseo de alejarnos del mal.

- *El temor a Dios produce sanidad:* "No seas sabio en tu propia opinión; teme a Jehová, y apártate del mal; porque será medicina a tu cuerpo, y refrigerio para tus huesos" (Proverbios 3:7, 8).

- *El temor a Dios nos da fuerza y confianza:* "En el temor de Jehová está la fuerte confianza; y esperanza tendrán sus hijos" (Proverbios 14:26).

- *El temor a Dios nos asegura la protección divina:* "El ángel de Jehová acampa alrededor de los que le temen, y los defiende" (Salmo 34:7).

- *El temor a Dios aumentará nuestros días:* "El temor de Jehová aumentará los días; mas los años de los impíos serán acortados" (Proverbios 10:27).

Todas estas bendiciones y muchas más siguen a los que temen a Dios. Los que temen a Dios viven en plena confianza. Bien escribió Oswald Chambers: "Cuando se teme a Dios, no se teme a nada más; cuando no se teme a Dios se teme a todo lo demás".[3]

Temor a Dios: un asunto de obediencia

Como ya hemos visto, en la Biblia el temor a Dios se presenta como un concepto positivo. Pero, ¿cómo podemos definir de forma sencilla el temor a Dios? El doctor Jay Adams nos da una definición muy acertada y útil: es la "amorosa y respetuosa obediencia a él".[4] Para otros, temer a Dios indica "una relación correcta con él, y una entrega total a su voluntad".[5]

Es interesante, pero de acuerdo con los escritores bíblicos existe una estrecha relación entre el temor a Dios y la obediencia. Esto queda de manifiesto cuando vemos el ejemplo de algunos personajes bíblicos descritos como "temerosos de Dios". Hablando de Job, las Escrituras declaran: "Hubo en tierra de Uz un varón llamado Job; y era este hombre perfecto y recto, temeroso de Dios y apartado del mal" (Job 1:1). Habiendo pasado por las mayores pruebas que un ser humano alguna vez haya pasado, Job se mantuvo fiel a Dios. Cuando perdió sus posesiones, sus hijos y la salud, este hombre de fe siguió confiando en Dios y obedeciendo su Palabra. Se mantuvo fiel a Dios aun durante los peores momentos de su vida.

Es fácil ser fieles cuando todo va bien, cuando tenemos un techo sobre nuestras cabezas, comida en la mesa y salud. Pero cuando llegan los problemas y las cosas cambian de repente, ya no suele ser tan fácil confiar en Dios y temerle. La historia de Job nos enseña que podemos ser fieles cuando la noche es más oscura, cuando no se ve el amanecer, cuando la prueba es más dura, cuando las cosas van de mal en peor. En momentos tales Job se mantuvo fiel, y por esto se lo conoce como un hombre "temeroso de Dios".

Otro personaje a quien se lo conoce como temeroso de Dios es Abraham. De acuerdo con la historia, Dios le pidió al patriarca que le entregara su hijo Isaac, el hijo de la promesa. Este fue un pedido difícil para Abraham. Isaac era su único hijo con Sara, su amada esposa. Pero una noche la voz de Dios lo despertó y le dijo: "Abraham. Y él respondió: Heme aquí. Y dijo: Toma ahora tu hijo, tu único, Isaac, a quien amas, y vete a tierra de Moria, y ofrécelo allí en holocausto sobre uno de los montes que yo te diré" (Génesis 22:1, 2).

¿Te puedes imaginar los pensamientos que vinieron a la cabeza de Abraham? Creo que más de una vez se preguntó: *¿Pero, por qué?* Sin embargo, aunque no entendía del todo la orden que Dios le había dado, nunca puso en duda que era la voz de Dios la que había oído, ni postergó la obediencia: "Y Abraham se levantó muy de mañana, y enalbardó su asno, y tomó consigo dos siervos suyos, y a Isaac su hijo; y cortó leña para el holocausto, y se levantó, y fue al lugar que Dios le dijo" (vers. 3).

Tres días tardó el patriarca en llegar al lugar indicado. Junto a su hijo ascendió lentamente la montaña. Allí, el inocente muchacho le preguntó a su angustiado padre: "He aquí el fuego y la leña; mas ¿dónde está el cordero para el holocausto?" (vers. 7). Con voz entrecortada, Abraham le dijo: "Dios se proveerá de cordero para el holocausto, hijo mío" (vers. 8).

Al llegar a la cima del monte, Abraham y su hijo construyeron el altar y pusieron la leña sobre él. La escritora cristiana Elena G. de White describe la escena de manera dramática:

Con voz temblorosa, Abraham reveló a su hijo el mensaje divino. Con terror y asombro Isaac se enteró de su destino; pero no ofreció resistencia. Habría podido escapar a esa suerte si lo hubiera querido; el anciano, agobiado de dolor, cansado por la lucha de aquellos tres días terribles, no habría podido oponerse a la voluntad del joven vigoroso. Pero desde la niñez se le había enseñado a Isaac a obedecer pronta y confiadamente, y cuando el propósito de Dios le fue manifestado, lo aceptó con sumisión voluntaria... Con ternura, trató de aliviar el dolor de su padre, y animó sus debilitadas manos para que ataran las cuerdas que lo sujetarían al altar. Por fin se dicen las últimas palabras de amor, derraman las últimas lágrimas, y se dan el último abrazo. El padre levanta el cuchillo para dar muerte a su hijo, y de repente su brazo es detenido. Un ángel del Señor llama al patriarca desde el cielo: "¡Abraham, Abraham!" Él contesta enseguida: "Aquí estoy". De nuevo se oye la voz: "No extiendas tu mano sobre el muchacho, ni le hagas nada, pues ya sé que temes a Dios, por cuanto no me rehusaste tu hijo, tu único (Génesis 22:11, 12).[6]

Los ejemplos de Job y Abraham nos muestran que el temor a Dios se manifiesta por medio de la confianza en su Palabra y la obediencia. Temer a Dios es estar dispuesto a entregarle todo a él, a darlo todo por él. Temer a Dios es aceptar sus planes, aun cuando no parezcan del todo claros. Temer a Dios es estar dispuestos a cumplir sus mandatos, aun cuando las circunstancias estén en nuestra contra.

"Teme a Dios y guarda sus mandamientos"

De acuerdo con Salomón, el hombre más sabio de la historia, el temor a Dios y la observancia de sus mandamientos son caras de una misma moneda. "El fin de todo el discurso oído es este: Teme a Dios, y guarda sus mandamientos; porque esto es el todo del hombre" (Eclesiastés 12:13). De igual manera, Moisés equipara el temor a Dios con guardar sus mandamientos: "Ahora, pues, Israel, ¿qué pide Jehová tu Dios de ti, sino que temas a Jehová tu Dios, que andes en todos sus caminos, y que lo ames, y sirvas a Jehová tu Dios con todo tu corazón y con toda tu alma; que guardes los mandamientos de Jehová y sus estatutos, que yo te prescribo hoy, para que tengas prosperidad?" (Deuteronomio 10:12, 13).

Puede que esto sea nuevo para ti. Quizá no habías escuchado antes que Dios tiene mandamientos y que estos son la expresión de su voluntad para cada uno de sus hijos en la tierra. De acuerdo con la Biblia, existen Diez Mandamientos, escritos por el mismo Dios en tablas de piedra, y entregados a Moisés en el monte Sinaí. Los Diez Mandamientos se encuentran en Éxodo 20:3-17, y son estos:

1. *No tendrás dioses ajenos delante de mí.*

2. *No te harás imagen, ni ninguna semejanza de lo que esté arriba en el cielo, ni abajo en la tierra, ni en las aguas debajo de la tierra. No te inclinarás a ellas, ni las honrarás; porque yo soy Jehová tu Dios, fuerte, celoso, que visito la maldad de los padres sobre los hijos hasta la tercera y cuarta generación de los que me aborrecen, y hago misericordia a millares, a los que me aman y guardan mis mandamientos.*

3. *No tomarás el nombre de Jehová tu Dios en vano; porque no dará por inocente Jehová al que tomare su nombre en vano.*

4. *Acuérdate del día de reposo para santificarlo. Seis días trabajarás, y harás toda tu obra; mas el séptimo día es reposo para Jehová tu Dios; no hagas en él obra alguna, tú, ni tu hijo, ni tu hija, ni tu siervo, ni tu criada, ni tu bestia, ni tu extranjero que está dentro de tus puertas. Porque en seis días hizo Jehová los cielos y la tierra, el mar, y todas las cosas que en ellos hay, y reposó en el séptimo día; por tanto, Jehová bendijo el día de reposo y lo santificó.*

5. *Honra a tu padre y a tu madre, para que tus días se alarguen en la tierra que Jehová tu Dios te da.*

6. *No matarás.*

7. *No cometerás adulterio.*

8. *No hurtarás.*

9. *No hablarás contra tu prójimo falso testimonio.*

10. *No codiciarás la casa de tu prójimo, no codiciarás la mujer de tu prójimo, ni su siervo, ni su criada, ni su buey, ni su asno, ni cosa alguna de tu prójimo.*

Los Diez Mandamientos son una expresión del carácter de Dios. Nos hablan de las actitudes apropiadas hacia Dios y hacia nuestros semejantes. En los primeros cuatro mandamientos hallamos descrito nuestro deber hacia Dios; en los últimos seis, nuestro deber hacia el prójimo.

El temor que resulta en bendición

Si amamos a Dios, ese amor se manifestará mediante la obediencia a los primeros cuatro mandamientos. Estos preceptos prohíben la idolatría, la adoración de imágenes y la blasfemia, y requieren la observancia del sábado como día de descanso y adoración. Si uno ama al prójimo, lo manifestará en la obediencia a los últimos seis preceptos, los cuales requieren honrar a los padres, abstenerse de matar, de adulterar, de robar, de mentir y de codiciar.

Esta división de deberes se refleja en la respuesta de Jesús a la pregunta: "¿Cuál es el gran mandamiento en la ley?" (S. Mateo 22:36). Su respuesta fue: "Amarás al Señor tu Dios con todo tu corazón, y con toda tu alma, y con toda tu mente. Este es el primero y grande mandamiento. Y el segundo es semejante: Amarás a tu prójimo como a ti mismo. De estos dos mandamientos depende toda la ley y los profetas" (vers. 37-40).

El amor es la base de la verdadera obediencia. Ahora cobra sentido la declaración de San Juan: "En el amor no hay temor, sino que el perfecto amor echa fuera el temor; porque el temor lleva en sí castigo. De donde el que teme, no ha sido perfeccionado en el amor" (1 Juan 4:18).

Temer a Dios es guardar sus mandamientos; y guardar sus mandamientos es amarlo. Cuando les damos la espalda a los mandamientos de Dios, nos hacemos víctimas del miedo. Alguien dijo con acierto: "Desde que perdimos el temor de Dios, el mundo se llenó de miedos. Nos enferman cientos de miedos: miedo de nosotros mismos, de otros, del mundo, del futuro. Solo aquel que tiene temor de Dios es libre del miedo".[7]

Libres del miedo

Al llegar al final de este libro, deseo dejar en claro que cuando respetamos, honramos, reverenciamos y obedecemos a Dios, el temor y el miedo no pueden formar parte de nuestra existencia, porque donde está Dios el temor no puede habitar. El temor de Dios es el único temor capaz de sacar todos los miedos. Los que temen a Dios lo suficiente como para tomar su Palabra en serio, obtienen poder espiritual para soterrar todos los miedos que pueden capturar el corazón. Es solo cuando Dios cobra mayor importancia que cualquier otra cosa que estés enfrentando, cuando puedes recibir la protección divina y librarte del miedo que te paraliza.

VIVE SIN TEMOR

Hoy puedes vivir sin temor. Despídete de cada uno de tus miedos, levántate en el nombre de Jesús, y en cada situación que enfrentes, por difícil que esta sea, nunca olvides las palabras del Señor escritas por su profeta: "No temas, porque yo estoy contigo; no desmayes, porque yo soy tu Dios que te esfuerzo; siempre te ayudaré, siempre te sustentaré con la diestra de mi justicia" (Isaías 41:10).

1. Citado por David Jeremiah, *¿A qué le tienes miedo?* (Carol Stream, Illinois: Tyndale House Foundation, 2014), p. 270.
2. Dwight Nelson, *El Dios que no me enseñaron* (Doral, Florida: Asociación Publicadora Interamericana, 2012), p. 15, énfasis en el original.
3. Citado por Marcos Witt, *Dile adiós a todos tus temores* (New York, New York: Atria Books, 2007), p. 202.
4. Jay Adams, *The Christian Counselor's New Testament* (Hackettstown, South Carolina: Timeless Text, 1994), p. 825.
5. Ranko Stefanovic, *Apocalipsis sencillo* (Berrien Springs, Michigan: Andrews University Press, 2018), p. 116.
6. Elena G. de White, *Patriarcas y profetas* (Doral, Florida: Asociación Publicadora Interamericana, 2008), pp. 130, 131.
7. Anónimo.

Preguntas para reflexionar

1. ¿Cuál es la principal de todas las mentiras?

2. ¿Cuáles son las bendiciones que vienen como resultado del temor a Dios?

3. ¿Qué dos personajes de la Biblia fueron reconocidos como temerosos de Dios?

4. ¿Qué relación existe entre temer a Dios y guardar sus mandamientos?

5. ¿Cuál es la base de la verdadera obediencia?

Estudios bíblicos

Lección 1: La verdad acerca de las Sagradas Escrituras

Lección 2: La verdad acerca de la salvación

Lección 3: La verdad acerca de la segunda venida de Cristo

Lección 4: La verdad acerca del juicio final

Lección 5: La verdad acerca de la ley de Dios

Lección 6: La verdad acerca del día de reposo

Lección 7: La verdad acerca del pueblo de Dios

Lección 8: La verdad acerca del bautismo cristiano

Lección 9: La verdad acerca del estado de los muertos

Lección 10: La verdad acerca de las normas cristianas

*El énfasis en los versículos bíblicos ha sido agregado.

La verdad acerca de las Sagradas Escrituras

La inspiración de las Escrituras

1. ¿Cómo fueron dadas las Escrituras?

   "Toda la Escritura es inspirada por Dios, y útil para enseñar, para redargüir, para corregir, para instruir en justiciar" (2 Timoteo 3:16).

2. ¿Quiénes recibieron la revelación?

   "Dios, habiendo hablado muchas veces y de muchas maneras en otro tiempo a los padres por los profetas" (Hebreos 1:1).

3. ¿Quién dirigió a los hombres que recibieron la revelación y la inspiración de Dios?

   "Porque nunca la profecía fue traída por voluntad humana, sino que los santos hombres de Dios hablaron siendo inspirados por el Espíritu Santo" (2 Pedro 1:21).

El propósito de las Escrituras

4. ¿Con qué propósito se escribieron las Sagradas Escrituras?

   "Porque las cosas que se escribieron antes, para nuestra enseñanza se escribieron, a fin de que por la paciencia y la consolación de las Escrituras, tengamos esperanza" (Romanos 15:4).

5. ¿Qué cuatro cosas útiles hace la Palabra de Dios en el ser humano y con qué propósito?

"Toda la Escritura es inspirada por Dios, y útil para enseñar, para redargüir, para corregir, para instruir en justicia, a fin de que el hombre de Dios sea perfecto, enteramente preparado para toda buena obra" (2 Timoteo 3:16, 17).

a.

b.

c.

d.

Las Sagradas Escrituras y el creyente

6. En tiempos de crisis, como en los que vivimos, ¿cómo nos puede ayudar la Palabra de Dios?

   "Lámpara es a mis pies tu palabra, y lumbrera a mi camino" (Salmo 119:105).

7. ¿Qué acontecerá en nuestras vidas si estudiamos y obedecemos la Palabra de Dios?

   "Santifícalos en tu verdad; tu palabra es verdad" (S. Juan 17:17).

8. ¿Cómo llama Jesús a los que oyen y guardan las Sagradas Escrituras?

   "Y él dijo: Antes bienaventurados los que oyen la palabra de Dios, y la guardan" (S. Lucas 11:28).

Mi decisión: Creo en la inspiración de la Santa Palabra de Dios y deseo seguir sus enseñanzas.

La verdad acerca de la salvación

El pecado

1. ¿Qué es el pecado?

   "Todo aquel que comete pecado, infringe también la ley; pues el pecado es infracción de la ley" *(1 Juan 3:4).*

2. ¿A quién se somete el que practica el pecado?

   "El que practica el pecado es del diablo; porque el diablo peca desde el principio. Para esto apareció el Hijo de Dios, para deshacer las obras del diablo" (1 Juan 3:8).

3. ¿Cuál es el resultado final del pecado?

   "La paga del pecado es muerte, *mas la dádiva de Dios es vida eterna en Cristo Jesús Señor nuestro" (Romanos 6:23).*

Cristo, nuestro Salvador

4. ¿Qué significa el nombre de Jesús?

   "Y dará a luz un hijo, y llamarás su nombre JESÚS, porque él salvará a su pueblo de sus pecados" (S. Mateo 1:21).

5. ¿Con que propósito vino Jesús al mundo?

   "Palabra fiel y digna de ser recibida por todos: que Cristo Jesús vino al mundo para salvar a los pecadores, de los cuales yo soy el primero" (1 Timoteo 1:15).

6. ¿Cómo pagó Jesús la deuda del hombre?

"Despreciado y desechado entre los hombres, varón de dolores, experimentado en quebranto; y como que escondimos de él el rostro, fue menospreciado, y no lo estimamos. Ciertamente llevó él nuestras enfermedades, y sufrió nuestros dolores; y nosotros le tuvimos por azotado, por herido de Dios y abatido. Mas él herido fue por nuestras rebeliones, molido por nuestros pecados; el castigo de nuestra paz fue sobre él, y por su llaga fuimos nosotros curados. Todos nosotros nos descarriamos como ovejas, cada cual se apartó por su camino; mas Jehová cargó en él el pecado de todos nosotros. *Angustiado él, y afligido, no abrió su boca; como cordero fue llevado al matadero; y como oveja delante de sus trasquiladores, enmudeció, y no abrió su boca" (Isaías 53:3-7).*

La seguridad de la salvación

7. ¿Cuán completa es la salvación obtenida en Jesús?

    "Por lo cual puede también salvar perpetuamente *a los que por él se acercan a Dios, viviendo siempre para interceder por ellos"* (Hebreos 7:25).

8. ¿Qué debo hacer para recibir la salvación?

    "Ellos dijeron: Cree en el Señor Jesucristo, *y serás salvo, tú y tu casa. Y le hablaron la palabra del Señor a él y a todos los que estaban en su casa" (Hechos 16:31, 32).*

Mi decisión: Creo que Jesús murió por mis pecados. Lo acepto como mi único Salvador. Le entrego mi vida y mi corazón.

La verdad acerca de la segunda venida de Cristo

La esperanza de su advenimiento

1. ¿Qué maravillosa promesa hizo Jesús?

   "No se turbe vuestro corazón; creéis en Dios, creed también en mí. En la casa de mi Padre muchas moradas hay; si así no fuera, yo os lo hubiera dicho; voy, pues, a preparar lugar para vosotros. Y si me fuere y os preparare lugar, vendré otra vez, y os tomaré a mí mismo, *para que donde yo estoy, vosotros también estéis" (S. Juan 14:1-3).*

2. ¿Para qué vendrá Jesús por segunda vez?

   "Así también Cristo fue ofrecido una sola vez para llevar los pecados de muchos; y aparecerá por segunda vez, sin relación con el pecado, para salvar a los que le esperan" (Hebreos 9:28).

Una descripción de su advenimiento

3. ¿Cómo vendrá Jesús por segunda vez?

   "Entonces aparecerá la señal del Hijo del Hombre en el cielo; y entonces lamentarán todas las tribus de la tierra, y verán al Hijo del Hombre viniendo sobre las nubes del cielo, con poder y gran gloria" *(S. Mateo 24:30).*

4. ¿Cuántos verán a Jesús cuando regrese?

   "He aquí que viene con las nubes, y todo ojo le verá, y los que le traspasaron; *y todos los linajes de la tierra harán lamentación por él. Sí, amén" (Apocalipsis 1:7).*

El propósito de su advenimiento

5. ¿Qué sucederá con los justos muertos?

"Tampoco queremos, hermanos, que ignoréis acerca de los que duermen, para que no os entristezcáis como los otros que no tienen esperanza. Porque si creemos que Jesús murió y resucitó, así también traerá Dios con Jesús a los que durmieron en él. Por lo cual os decimos esto en palabra del Señor: que nosotros que vivimos, que habremos quedado hasta la venida del Señor, no precederemos a los que durmieron. Porque el Señor mismo con voz de mando, con voz de arcángel, y con trompeta de Dios, descenderá del cielo; y los muertos en Cristo resucitarán primero" *(1 Tesalonicenses 4:13-16).*

6. ¿Qué sucederá con los justos que estén vivos cuando Jesús vuelva?

"Luego nosotros los que vivimos, los que hayamos quedado, seremos arrebatados juntamente con ellos en las nubes para recibir al Señor en el aire, y así estaremos siempre con el Señor" (1 Tesalonicenses 4:17).

Preparados para su advenimiento

7. ¿Ha sido revelado el tiempo exacto del segundo advenimiento de Jesús?

"Pero del día y la hora nadie sabe, ni aun los ángeles de los cielos, sino solo mi Padre" (S. Mateo 24:36).

8. En vista de este hecho, ¿qué nos dice Jesús que hagamos?

"Velad, pues, porque no sabéis a qué hora ha de venir vuestro Señor" (S. Mateo 24:42).

Mi decisión: Creo que Jesús vendrá por segunda vez. Deseo prepararme y ser parte del grupo de los justos en aquel glorioso día.

La verdad acerca del juicio final

La certeza del juicio

1. ¿Cómo describe la Biblia la escena del juicio final?

   "Estuve mirando hasta que fueron puestos tronos, y se sentó un Anciano de días, cuyo vestido era blanco como la nieve, y el pelo de su cabeza como lana limpia; su trono llama de fuego, y las ruedas del mismo, fuego ardiente. Un río de fuego procedía y salía de delante de él; millares de millares le servían, y millones de millones asistían delante de él; el Juez se sentó, y los libros fueron abiertos" (Daniel 7:9, 10).

2. ¿A cuántos alcanza el juicio de Dios?

   "Porque es necesario que todos nosotros comparezcamos ante el tribunal de Cristo, para que cada uno reciba según lo que haya hecho mientras estaba en el cuerpo, sea bueno o sea malo" (2 Corintios 5:10).

La importancia del juicio

3. ¿Cuál es la norma de Dios en el juicio?

   "Así hablad, y así haced, como los que habéis de ser juzgados por la ley de la libertad" (Santiago 2:12).

4. ¿De acuerdo a qué seremos juzgados?

   "Y vi a los muertos, grandes y pequeños, de pie ante Dios; y los libros fueron abiertos, y otro libro fue abierto, el cual es el libro de la vida; y fueron juzgados los muertos por las cosas que estaban escritas en los libros, según sus obras" (Apocalipsis 20:12).

5. ¿Cuántas obras traerá Dios a juicio?

   "Porque Dios traerá toda obra a juicio, juntamente con toda cosa encubierta, sea buena o sea mala" (Eclesiastés 12:14).

La seguridad ante el juicio

6. ¿Quién presidirá las sesiones del juicio?

   "Porque el Padre a nadie juzga, sino que todo el juicio dio al Hijo" (S. Juan 5:22).

7. ¿Quién es nuestro Abogado defensor?

   "Hijitos míos, estas cosas os escribo para que no pequéis; y si alguno hubiere pecado, abogado tenemos para con el Padre, a Jesucristo el justo" (1 Juan 2:1).

8. ¿Cómo podemos estar seguros de salir absueltos en el juicio?

   "De cierto, de cierto os digo: El que oye mi palabra, y cree al que me envió, tiene vida eterna; y no vendrá a condenación, mas ha pasado de muerte a vida" (S. Juan 5:24).

Mi decisión: Acepto a Jesús como mi abogado. Deseo estar preparado para el día del juicio final.

La verdad acerca de la ley de Dios

El Dador de la ley

1. ¿Quién escribió y promulgó la ley de Dios?

   "Y dio a Moisés, cuando acabó de hablar con él en el monte de Sinaí, dos tablas del testimonio, tablas de piedra escritas con el dedo de Dios" (Éxodo 31:18).

2. ¿De cuántos mandamientos se compone la ley de Dios?

   Diez Mandamientos (Éxodo 20:1-17).

Jesús y la ley

3. ¿Qué actitud asumió Jesús ante la ley?

   Si guardareis mis mandamientos, permaneceréis en mi amor; así como yo he guardado los mandamientos de mi Padre, y permanezco en su amor (S. Juan 15:10).

4. ¿Efectuó cambios Jesús en la ley?

   "No penséis que he venido para abrogar la ley o los profetas; no he venido para abrogar, sino para cumplir" (S. Mateo 5:17).

5. Según enseñó Jesús, ¿durante cuánto tiempo permanecerá en vigencia la ley de Dios?

   "Porque de cierto os digo que hasta que pasen el cielo y la tierra, ni una jota ni una tilde pasará de la ley, hasta que todo se haya cumplido" (S. Mateo 5:18).

El cristiano y la ley

6. La ley del Sinaí, ¿es todavía la ley para el cristiano?

"Porque cualquiera que guardare toda la ley, pero ofendiere en un punto, se hace culpable de todos. *Porque el que dijo: No cometerás adulterio, también ha dicho: No matarás. Ahora bien, si no cometes adulterio, pero matas, ya te has hecho transgresor de la ley. Así hablad, y así haced, como los que habéis de ser juzgados por la ley de la libertad"* (Santiago 2:10-12).

7. ¿Se invalida la ley por la fe en Dios?

"¿Luego por la fe invalidamos la ley? En ninguna manera, *sino que confirmamos la ley"* (Romanos 3:31).

8. ¿De qué disfrutarán los que guardan la ley de Dios?

"Mucha paz tienen los que aman tu ley, y no hay para ellos tropiezo" (Salmo 119:165).

Mi decisión: Acepto la vigencia de la santa ley de Dios. Procuraré, con la ayuda de Jesús, regir mi vida de acuerdo a sus principios

La verdad acerca del día de reposo

El día de reposo bíblico

1. ¿Cuál es el día de reposo según la ley de Dios?

   "Acuérdate del día de reposo para santificarlo. Seis días trabajarás, y harás toda tu obra; mas el séptimo día es reposo para Jehová tu Dios; no hagas en él obra alguna, tú, ni tu hijo, ni tu hija, ni tu siervo, ni tu criada, ni tu bestia, ni tu extranjero que está dentro de tus puertas" (Éxodo 20:8-10).

2. ¿Cuándo y por qué fue creado el sábado o día de reposo?

   "Fueron, pues, acabados los cielos y la tierra, y todo el ejército de ellos. Y acabó Dios en el día séptimo la obra que hizo; y reposó el día séptimo de toda la obra que hizo" (Génesis 2:1, 2).

Jesús y el sábado

3. ¿De qué dijo Cristo que es Señor el Hijo del Hombre?

   "Porque el Hijo del Hombre es Señor del día de reposo" (S. Mateo 12:8).

4. ¿Guardaba Cristo el sábado mientras estuvo en la tierra?

   "Vino a Nazaret, donde se había criado; y en el día de reposo entró en la sinagoga, conforme a su costumbre, y se levantó a leer" (S. Lucas 4:16).

El sábado en el Nuevo Testamento

5. ¿Qué día guardaba la Virgen María?

"Y vueltas, prepararon especias aromáticas y ungüentos; y descansaron el día de reposo, conforme al mandamiento" (S. Lucas 23:56).

6. ¿Qué día respetaban los santos apóstoles?

   "Y Pablo, como acostumbraba, fue a ellos, y por tres días de reposo discutió con ellos" (Hechos 17:2).

El sábado y el creyente

7. ¿Qué dos cosas nos pide Dios en su Palabra?

   "Guardad mis días de reposo, y tened en reverencia mi santuario. Yo Jehová" (Levítico 26:2).

8. ¿Qué día se celebrará en el cielo?

   "Porque como los cielos nuevos y la nueva tierra que yo hago permanecerán delante de mí, dice Jehová, así permanecerá vuestra descendencia y vuestro nombre. Y de mes en mes, y de día de reposo en día de reposo, vendrán todos a adorar delante de mí, dijo Jehová" (Isaías 66:22, 23).

Mi decisión: Decido guardar fielmente el sábado, de acuerdo al ejemplo dado por Jesús.

La verdad acerca del pueblo de Dios

El establecimiento del pueblo de Dios

1. ¿Quién fundó la iglesia cristiana?

   "Respondiendo Simón Pedro, dijo: Tú eres el Cristo, el Hijo del Dios viviente. Entonces le respondió Jesús: Bienaventurado eres, Simón, hijo de Jonás, porque no te lo reveló carne ni sangre, sino mi Padre que está en los cielos. Y yo también te digo, que tú eres Pedro, y sobre esta roca edificaré mi iglesia; y las puertas del Hades no prevalecerán contra ella" (S. Mateo 16:16-18).

2. ¿Quién es el fundamento de la iglesia?

   "Edificados sobre el fundamento de los apóstoles y profetas, siendo la principal piedra del ángulo Jesucristo mismo" *(Efesios 2:20).*

Las características del pueblo de Dios

3. ¿Qué dos características posee la iglesia de Dios?

   "Entonces el dragón se llenó de ira contra la mujer; y se fue a hacer guerra contra el resto de la descendencia de ella, los que guardan los mandamientos de Dios y tienen el testimonio de Jesucristo" *(Apocalipsis 12:17).*

4. ¿Qué don poseerá la iglesia?

   "Yo me postré a sus pies para adorarle. Y él me dijo: Mira, no lo hagas; yo soy consiervo tuyo, y de tus hermanos que retienen el testimonio de Jesús. Adora a Dios; porque el testimonio de Jesús es el espíritu de la profecía" *(Apocalipsis 19:10).*

El mensaje distintivo del pueblo de Dios

5. ¿De qué manera se describe la iglesia de Dios?

"Para que, si tardo, sepas cómo debes conducirte en la casa de Dios, que es la iglesia del Dios viviente, columna y baluarte de la verdad" *(1 Timoteo 3:15).*

6. ¿Qué enseña la iglesia verdadera respecto al juicio venidero?

"Diciendo a gran voz: Temed a Dios, y dadle gloria, porque la hora de su juicio ha llegado; *y adorad a aquel que hizo el cielo y la tierra, el mar y las fuentes de las aguas" (Apocalipsis 14:7).*

7. ¿Qué otros dos mensajes específicos, dados por Jesús, predica la iglesia?

"Otro ángel le siguió, diciendo: Ha caído, ha caído Babilonia, la gran ciudad, porque ha hecho beber a todas las naciones del vino del furor de su fornicación. Y el tercer ángel los siguió, diciendo a gran voz: Si alguno adora a la bestia y a su imagen, y recibe la marca en su frente o en su mano" (Apocalipsis 14:8-10).

8. ¿Cuál es la última invitación de Jesús antes de su regreso?

"Y el Espíritu y la Esposa dicen: Ven. Y el que oye, diga: Ven. Y el que tiene sed, venga; y el que quiera, tome del agua de la vida gratuitamente" (Apocalipsis 22:17)

Mi decisión: Creo que Jesús fundó la iglesia cristiana. Deseo ser parte del pueblo de Dios y vivir de acuerdo con los principios divinos.

La verdad acerca del bautismo cristiano

El bautismo verdadero

1. ¿Quién ordenó bautizar?

"Por tanto, id, y haced discípulos a todas las naciones, bautizándolos en el nombre del Padre, y del Hijo, y del Espíritu Santo; enseñándoles que guarden todas las cosas que os he mandado; y he aquí yo estoy con vosotros todos los días, hasta el fin del mundo. Amén" (S. Mateo 28:19, 20).

2. ¿Cuánta importancia le atribuyó Jesús al bautismo?

"Y les dijo: Id por todo el mundo y predicad el evangelio a toda criatura. El que creyere y fuere bautizado, será salvo; mas el que no creyere, será condenado" (S. Marcos 16:15, 16).

3. ¿Cuál es la forma bíblica de bautizar?

"Entonces Jesús vino de Galilea a Juan al Jordán, para ser bautizado por él. Mas Juan se le oponía, diciendo: Yo necesito ser bautizado por ti, ¿y tú vienes a mí? Pero Jesús le respondió: Deja ahora, porque así conviene que cumplamos toda justicia. Entonces le dejó. Y Jesús, después que fue bautizado, subió luego del agua; y he aquí los cielos le fueron abiertos, y vio al Espíritu de Dios que descendía como paloma, y venía sobre él" (S. Mateo 3:13-16).

El significado del bautismo

4. ¿Qué significa el rito del bautismo?

"¿O no sabéis que todos los que hemos sido bautizados en Cristo Jesús, hemos sido bautizados en su muerte? Porque somos sepultados juntamente con él para muerte por el bautismo, a fin de que como Cristo resucitó de los muertos por la gloria del Padre, así también nosotros andemos en vida nueva" (Romanos 6:3, 4).

5. ¿Qué dos bendiciones se reciben con el bautismo?

"Pedro les dijo: Arrepentíos, y bautícese cada uno de vosotros en el nombre de Jesucristo para perdón de los pecados; y recibiréis el don del Espíritu Santo" (Hechos 2:38).

6. ¿A qué institución se unen los bautizados?

"Y el Señor añadía cada día a la iglesia los que habían de ser salvos" (Hechos 2:47).

El bautismo, una nueva vida

7. ¿Qué transformación ocurre cuando aceptamos a Dios?

"De modo que, si alguno está en Cristo, nueva criatura es; las cosas viejas pasaron; he aquí todas son hechas nuevas" (2 Corintios 5:17).

Mi decisión: Deseo ser bautizado como Jesús, y así nacer a una nueva vida.

La verdad acerca del estado de los muertos

La verdad acerca de la muerte

1. Según la Palabra de Dios, ¿qué diferencia hay entre los vivos y los muertos?

   "Los que viven saben que han de morir; pero los muertos nada saben, ni tienen más paga; porque su memoria es puesta en olvido" (Eclesiastés 9:5).

2. ¿Qué sucede con los sentimientos de una persona que ha muerto?

   "También su amor y su odio y su envidia fenecieron ya; y nunca más tendrán parte en todo lo que se hace debajo del sol" (Eclesiastés 9:6).

3. Según la Palabra de Dios, ¿adónde van los muertos?

   Todo lo que te viniere a la mano para hacer, hazlo según tus fuerzas; porque en el Seol, adonde vas, no hay obra, ni trabajo, ni ciencia, ni sabiduría (Eclesiastés 9:10).

4. El rey David fue un hombre bueno que agradó a Dios; ¿subió al cielo después de su muerte y entierro?

   "Varones hermanos, se os puede decir libremente del patriarca David, que murió y fue sepultado, y su sepulcro está con nosotros hasta el día de hoy... Porque David no subió a los cielos" (Hechos 2:29, 34).

5. ¿Adoran a Dios las almas de los muertos?

   "No alabarán los muertos a JAH, ni cuantos descienden al silencio" (Salmo 115:17).

6. ¿Qué ocurre con el alma al morir?

   "He aquí que todas las almas son mías; como el alma del padre, así el alma del hijo es mía; el alma que pecare, esa morirá" (Ezequiel 18:4).

7. ¿Quién es el autor de la teoría de que el alma es inmortal?

   "Entonces la serpiente dijo a la mujer: No moriréis" (Génesis 3:4).

La inmortalidad solo en Jesús

8. ¿Qué pasará con los muertos en Cristo?

   "Tampoco queremos, hermanos, que ignoréis acerca de los que duermen, para que no os entristezcáis como los otros que no tienen esperanza. Porque si creemos que Jesús murió y resucitó, así también traerá Dios con Jesús a los que durmieron en él. Por lo cual os decimos esto en palabra del Señor: que nosotros que vivimos, que habremos quedado hasta la venida del Señor, no precederemos a los que durmieron. Porque el Señor mismo con voz de mando, con voz de arcángel, y con trompeta de Dios, descenderá del cielo; y los muertos en Cristo resucitarán primero" (1 Tesalonicenses 4:13-16).

Mi decisión: Comprendo que los muertos nada saben. Acepto a Jesús como el único camino que me conducirá a la vida eterna.

La verdad acerca de las normas cristianas

El propósito de Dios para nuestra vida

1. ¿Cuál es el deseo de Dios para sus criaturas humanas?

   "Amado, yo deseo que tú seas prosperado en todas las cosas, y que tengas salud, *así como prospera tu alma"* (3 Juan 2).

2. ¿Cómo reconoce Dios el cuerpo humano?

   "¿O ignoráis que vuestro cuerpo es templo del Espíritu Santo, el cual está en vosotros, el cual tenéis de Dios, y que no sois vuestros? Porque habéis sido comprados por precio; glorificad, pues, a Dios en vuestro cuerpo y en vuestro espíritu, los cuales son de Dios" (1 Corintios 6:19, 20).

Los principios de la temperancia

3. ¿Cuál es la dieta que Dios les dio originalmente a los seres humanos?

   "Y dijo Dios: He aquí que os he dado toda planta que da semilla, que está sobre toda la tierra, y todo árbol en que hay fruto y que da semilla; os serán para comer... Y mandó Jehová Dios al hombre, diciendo: De todo árbol del huerto podrás comer" (Génesis 1:29; 2:16).

4. ¿Qué animales podemos comer y cuáles no, de acuerdo a las Sagradas Escrituras?

   "Nada abominable comerás. Estos son los animales que podréis

comer: *el buey, la oveja, la cabra, el ciervo, la gacela, el corzo, la cabra montés, el íbice, el antílope y el carnero montés. Y todo animal de pezuñas, que tiene hendidura de dos uñas, y que rumiare entre los animales, ese podréis comer. Pero estos no comeréis, entre los que rumian o entre los que tienen pezuña hendida: camello, liebre y conejo; porque rumian, mas no tienen pezuña hendida, serán inmundos; ni cerdo, porque tiene pezuña hendida, mas no rumia; os será inmundo. De la carne de estos no comeréis, ni tocaréis sus cuerpos muertos. De todo lo que está en el agua, de estos podréis comer: todo lo que tiene aleta y escama. Mas todo lo que no tiene aleta y escama, no comeréis; inmundo será"* (Deuteronomio 14:3-10).

5. ¿Qué dice la Palabra de Dios acerca del cerdo?

"También el cerdo, porque tiene pezuñas, y es de pezuñas hendidas, pero no rumia, lo tendréis por inmundo. De la carne de ellos no comeréis, ni tocaréis su cuerpo muerto; los tendréis por inmundos" (Levítico 11:7, 8).

6. ¿Qué enseña la Biblia sobre el uso de bebidas alcohólicas?

"El vino es escarnecedor, la sidra alborotadora, y cualquiera que por ellos yerra no es sabio" (Proverbios 20:1).

La apariencia personal

7. ¿Qué norma debemos seguir respecto a nuestra manera de vestir?

"Si, pues, coméis o bebéis, o hacéis otra cosa, hacedlo todo para la gloria de Dios" (1 Corintios 10:31).

8. ¿Cuál debería ser la vestimenta más importante para los cristianos?

"Vuestro atavío no sea el externo de peinados ostentosos, de adornos de oro o de vestidos lujosos, sino el interno, el del corazón, *en el incorruptible ornato de un espíritu afable y apacible, que es de grande estima delante de Dios. Porque así también se ataviaban en otro tiempo aquellas santas mujeres que esperaban en Dios, estando sujetas a sus maridos"* (1 Pedro 3:3-5).

Mi decisión: Por amor a Jesús, deseo amoldar mi vida a los principios y normas que regulan la vida cristiana.

UNA INVITACIÓN PARA USTED

Si este libro ha sido de su agrado, si los temas presentados le han resultado útiles, lo invitamos a seguir explorando los principios divinos para una vida provechosa y feliz. Hay miles de congregaciones alrededor del mundo que comparten estas ideas y estarían gustosas de recibirle en sus reuniones. La Iglesia Adventista del Séptimo Día es una iglesia cristiana que espera el regreso del Señor Jesucristo y se reúne cada sábado para estudiar su Palabra.

En los Estados Unidos, puede llamar a la oficina regional de su zona o escribir a las oficinas de la Pacific Press para recibir mayor información sobre la congregación más cercana a usted. En Internet puede encontrar la página de la sede mundial de la Iglesia Adventista en www.adventist.org.

OFICINAS REGIONALES

UNIÓN DE CANADÁ
1148 King Street East
Oshawa, Ontario L1H 1H8 Canadá
Tel. (905)433-0011

UNIÓN DEL ATLÁNTICO
400 Main Street
South Lancaster, MA 01561-1189
Tel. (978)368-8333

UNIÓN DEL CENTRO
8307 Pine Lake Road
Lincoln, NE 68516-4078
Tel. (402)484-3000

UNIÓN DE COLUMBIA
5427 Twin Knolls Road
Columbia, MD 21045
Tel. 410/997-3414 (Baltimore, MD)
Tel. (301)596-0800 (Washington, DC)

UNIÓN DEL LAGO
P.O. Box 287
Berrien Springs, MI 49103-0287
Tel. (269)473-8200

UNION DEL NORTE DEL PACÍFICO
5709 N. 20th Street
Ridgefield, WA 98642-7724
Tel. (360)857-7000

UNIÓN DEL PACÍFICO
2686 Townsgate Road
Westlake Village, CA 91361-2701
Tel. (805)413-7100

UNIÓN DEL SUR
3302 Research Drive
Peachtree Corners, GA 30010
Tel. (770)408-1800

UNIÓN DEL SUROESTE
777 South Burleson Boulevard
Burleson, TX 76028-4904
Tel. (817)295-0476

Si la lectura de este libro lo inspira a buscar la ayuda divina, tiene la oportunidad de iniciar un estudio provechoso y transformador de las Escrituras, sin gasto ni compromiso alguno de su parte.

Llene este cupón y envíelo por correo a:

La Voz de la Esperanza
P. O. Box 7279
Riverside, CA 92513
EE. UU. de N. A.

✂ - - - - - - - - - - - - copie o corte este cupón - - - - - - - - - - - - - - - - -

Deseo inscribirme en un curso bíblico gratuito por correspondencia:

❑ Hogar Feliz (10 lecciones)
❑ Descubra (12 lecciones)

Nombre _____

Calle y N° _____

Ciudad _____

Prov. o Estado _____

Código Postal (Zip Code) _____

País _____